U0064613

劉福春・李怡 主編

民國文學珍稀文獻集成

第一輯

新詩舊集影印叢編　第 3 冊

【胡適卷】

嘗試集

上海：亞東圖書館 1920 年 9 月版

胡適　著

花木蘭文化出版社

國家圖書館出版品預行編目資料

嘗試集／胡適 著 -- 初版 -- 新北市：花木蘭文化出版社，2016
〔民 105〕

206 面；19 ×26 公分

（民國文學珍稀文獻集成・第一輯・新詩舊集影印叢編 第 3 冊）

ISBN：978-986-404-622-5（套書精裝）

831.8　　　　　　　　　　　　　　　　　　　　　105002931

ISBN-978-986-404-622-5

9 789864 046225

民國文學珍稀文獻集成・第一輯・新詩舊集影印叢編（1-50 冊）

第 3 冊

嘗試集

著　　者　胡適
主　　編　劉福春、李怡
企　　劃　首都師範大學中國詩歌研究中心
　　　　　北京師範大學民國歷史文化與文學研究中心
　　　　　（臺灣）政治大學民國歷史文化與文學研究中心
總 編 輯　杜潔祥
副總編輯　楊嘉樂
編　　輯　許郁翎
出　　版　花木蘭文化出版社
社　　長　高小娟
聯絡地址　235 新北市中和區中安街七二號十三樓
　　　　　電話：02-2923-1455 ／傳眞：02-2923-1452
網　　址　http://www.huamulan.tw 信箱 hml 810518@gmail.com
印　　刷　普羅文化出版廣告事業
初　　版　2016 年 4 月
定　　價　第一輯 1-50 冊（精裝）新台幣 120,000 元　　　　版權所有・請勿翻印

嘗試集

胡適 著

亞東圖書館（上海）一九二〇年三月初版，同年九月再版。原書三十二開。

胡適的嘗試集坿去國集

再版自序

這一點小小的『嘗試』居然能有再版的榮幸，我不能不感謝讀這書的人的大度和熱心。

近來我頗自己思想，究竟這本小冊子有沒有再版的需要，現在我決意再版了，我的理由是：

第一，這本書含有點歷史的與趣。我做白話詩比較的可算最早，但是我的詩變化最遲緩。從第一編的嘗試篇贈朱經農中秋……等詩變到第二編的威權應該關不住了樂觀上山等詩；從那些狠接近舊詩的詩變到狠自由的新詩，——這一個過渡時期在我的詩裏最容易看得出。第一編的詩除了蝴蝶和他兩首之外實在不過是一些刷洗過的舊詩做到後來的朋友篇，文學篇慚愧又可以進去國集了第二編的詩雖然打破了五言七言的整齊句法雖然改成長短不整齊的句子但是初做的幾首如一念鴿子新婚雜詩四月二十五夜都還脫不了詞曲

的氣味與聲調。在這個時期裏，老鴉與老洛伯要算是例外的了。就是七年十二月的奔飛到家

詩的前半首，還只是牢關添字的沁園春詞故這個時期──六年秋天到七年年底──還只

是一個自由變化的詞調時期自此以後我的詩方才漸漸做到『新詩』的地位關不住了一

首是我的『新詩』成立的紀元應該一首用一個人的『獨語』(Monologue) 寫三個人的

境地，是一種創體古詩中只有上山探驪獲蕉略像這個體裁以前的你莫忘記也是一個人的

獨語』但沒有應該那樣曲折的心理情境自此以後威權藥觀上山過歲一顆遭刼的星都極

自由極自然可算得我自己的『新詩』進化的最高一步如初版最末一首的第一段：

熱極了！

更沒有一點風！

那又輕又細的馬纓花鬚

動也不動一動

再版自序

二

這總是我久想做到的『白話詩』。我現在回頭看我兩年前做的詩，如

到如今待雙雙登堂拜母，

只剩得荒草孤墳斜陽淒楚！

最傷心不堪重聽燈前人訴阿母臨終語！

真如同隔世了！

不料居然有一種守舊的批評家一面誇獎嘗試集第一編的詩，一面嘲笑第二編的詩，說

中秋江上寒江……等詩是詩第二編最後的一些詩又說『胡適之上了錢玄同的當，

全國少年又上了胡適之的當！』我看了這種議論，自然想起一個很相類的故事當梁任公先

生的新民叢報很風行的時候國中守舊的古文家誰肯承認這種文字是『文章』？後來白話

文學的主張發生了那班守舊黨忽然異口同聲的說道『文字改革到了梁任公派的文章就

狠好了，儘够了何必去學白話文呢？白話文如何算得文學呢』好在我的朋友康白情和別位

再版自序

新詩人的詩體變的比我更快，他們的無韻「自由詩」已很能成立大概不久就有人要說：「

詩的改革到了胡適之的樂觀上山一顆遭刧的星也儘够了何必又去學康白情的江南和周

啓明的小河呢』……只怕那時我自己又已上康白情的當了！

以上說的是第一個理由。

第二，我這幾十首詩代表二三十種音節上的試驗，也許可以供新詩人的參考。第一編的

詩全是舊詩的音節自不須討論。第二編裏我最初愛用詞曲的音節，例如鴿子一首竟完全是

詞。新婚雜詩的（二）（五）也是如此。直到去年四月，我做快叔永回四川詩的第二段：

記得江樓同遠眺雲影渡江來驚起江頭鷗鳥，

記得江邊石上同坐看潮回浪聲遮斷人笑？

記得那回同訪友日冷風橫林裏陪他聽松嘯？

這三句都是從三種詞調裏出來的。這種音節未嘗沒有好處，如上文引的三句懂音節的自然

覺得看一種悲音含在寫景裏面我有時又想用雙聲學韻的法子來幫助滑節的諧婉例如

我不能呢呢喃喃討人家的歡喜。

這一句裏有九個雙聲又如

看他們三三兩兩

迴環來往,

夷猶如意!

三環疊韻（今韻）兩往疊韻夷意疊韻迴環雙聲夷猶意雙聲如字讀我們徽州音也與夷猶,

意爲雙聲又如

我望遍天邊尋不見一點半點光明,

囘轉頭來,

只有你在那楊柳高頭依舊亮晶晶地！

再版自序

五

遍，天邊見點半點七字疊韻頭有柳頭舊五字疊韻遍邊華聲你那雙聲有楊依雙聲又如

也想不相思可免相思苦，

幾次細思量情願相思苦！

這詩近來引起了許多討論我且借這個機會說明幾句這詩原稿本是：

也想不相思免得相思苦，

幾度細思量情願相思苦！

（原稿曾載每週評論二十九號）

原稿用的『免得』確比改稿『可免』好朱執信先生論此詩說『免』字太響又太重要了，前面不當加一個同樣響亮的『可』字這話極是我當初也這樣想第二句第一個『免』字與第四句第二個『願』字為韻本來也可以的古詩『文王曰咨咨汝殷商』便是一例但我後來又怕讀的人不懂得這種用韻法故勉強把『免』字移為第二個字不料還有人說這首詩沒有韻我現在索性在此處更正改用『免得』能至於第三句的『度』字何以後來我自

六

己改為『次』字呢？我因為幾細思三字都是『齊齒』音，故加一個『齊齒』的次字，使四個字都成『齊齒』音；況且這四個字之中下三字的聲母又都是『齒頭』一類，故『幾次細思量』一句讀起來使人不能不發生一種『咬緊牙齒忍痛』的感覺，這是一種音節上的大胆試驗。姜白石的詞有

瞑入西山漸喚我一葉夷猶乘輿。

『一葉夷猶』四字使人不能不發生在平湖上蕩船，『畫橈不點明鏡』的感覺，也是用這個法子。

這種雙聲疊韻的玩意兒，偶然順手拈來，未嘗不能增加音節上的美感。如康白情的『滴滴琴泉，聽聽他滴的是甚麼調子』十四個字裏有十二個雙聲故音節非常諧美，但這種玩意兒只可以偶然遇著不可以強求；偶然遇著了略改一兩個字——如康君這一句原稿作『試聽』後改為『聽聽』——是可以的若去勉強做作便不是做詩了。唐宋詩人做的雙聲詩和

再版自序

七

疊韻詩，都只是游戲，不是做詩。

所以我極贊成朱執信先生說的『詩的音節是不能獨立的。』這話的意思是說詩的音節是不能離開詩的意思而獨立的。例如生查子詞的正格是

仄仄仄平平，仄仄平平仄。

仄仄仄平平，仄仄平平仄。

下半闋也是如此。但宋人詞：

去年元夜時，花市燈如畫。

月上柳梢頭，人約黃昏後。

今年元夜時，花市燈如舊。

不見去年人，淚溼春衫袖。

第一句與第五句都不合正格。但我們讀這詞，並不覺得他不合音節，這是因為他依着詞意的

貳

自然音節的緣故。又如我的生查子詞第七八兩句是：

　　從來沒見他夢也如何做？

第七句也不合正格但讀起來也不見得音節不好還也是因為他是依着意思的自然音節的。

所以朱君的話可換過來說：「詩的音節必須順着詩意的自然曲折，自然輕重，自然高下。」

再換一句話說：「凡能充分表現詩意的自然曲折，自然輕重自然高下的，便是詩的最好音節。」古人叫做『天籟』的，譯成白話，便是『自然的音節』。」我初做詩以來，經過了十幾年「冥行索塗」的苦况又因舊文學的習慣太深故不容易打破舊詩詞的圈套最近這兩三年，玩過了多少種的音節試驗方才漸漸有點近於自然的趨勢如關不住了的第三段：

　　這一屋裏都是太陽光，

　　這時候愛情有點醉了，

　　他說：『我是關不住的，

再版自序

又如： 我要把你的心打碎了！

又如： 雪消了，
枯葉被春風吹跑了。

又如： 熱極了！
更沒有一點風！
那又輕又細的馬纓花鬚
動也不動一動！

又如： 上面果然是平坦的路，

有好看的野花，

有遮陰的老樹。

兩條腿都軟了。

衣服都被汗溼遍了，

但是我可倦了，

我在樹下睡倒，

聞着那撲鼻的草香，

便昏昏沉沉的睡了一覺。

這種詩的音節不是五七言舊詩的音節，也不是詞的音節，也不是曲的音節，乃是「白話詩」

的音節。

以上說的是第二個理由。

我因為這兩個理由所以敢把嘗試集再版。

有人說，『你這篇再版自序又犯了你們徽州人說的「戲台裏喝采」的毛病，你自己說你自己那幾首詩好，那幾首詩不好，未免太不謙虛了。』這話說的也有理，但我自己也有不得已的苦心。我本來想讓看戲的人自己去評判；但這四個月以來看戲的人喝的采很有使我自己難為情的：我自己覺得唱工做工都不佳的地方，他們偏要大聲喝采；我自己覺得真正「賣力氣」的地方，卻只有三四個真正會聽戲的人叫一兩聲好。我唱我的戲，本可以不管戲台下喝采的是非。我只怕那些亂喝采的看官把我的壞處認做我的好處，拿去咀嚼做做，那我就真貽害無窮，真對不住列位看官的熱心了！因此，我老着面孔自己指出那幾首詩是舊詩的變相，那幾首詩是詞曲的變相，那幾首是純粹的白話新詩，我刻詩的目的本來是要『請大家都來

「嘗試」但是我曾說過嘗試的結果「告人此路不通行，可使脚力莫浪費」這便是我不得不做這篇序的苦心。「戲台裏喝采」是狠難為情的事但是有時候戲台裏的人實在有忍不住喝采的心境請列位看官不要見笑。

總結一句話我自己只承認老鴉老洛伯你莫忘記關不住了，希望應該一顆星兒威權樂觀，上山週歲一顆遭刧的星許怡蓀一笑；——這十四篇是「白話新詩」其餘的也還有幾首可讀的詩兩三首可讀的詞但不是真正白話的新詩

這書初寫定時全靠我的朋友章洛聲替我校鈔寫定付印後又全靠他細心校對幾遍這書初版沒有一個錯字全是他的恩惠我借這個機會狠誠懇的謝謝他。

民國九年八月四日胡適序於南京高等師範學校的梅盦。

再版自序

這半年以來，我做的詩狠少現在選了六首加在再版裏。

適。九，八，一五。

再版自序

一四

目錄

目 錄

三

三

目　錄

四

目錄

五

目錄

目　錄　　八

嘗試集序

一九一七年十月，適之拿這本嘗試集第一集給我看。其中所錄都是一年以來適之所作的白話詩。

適之是中國現代第一個提倡白話文學——新文學——的人。我以前看見適之作一篇文學改良芻議主張作詩文不避俗語俗字；現在又看見這本嘗試集居然就實行用白話來作詩。我對於適之這樣『知』了就『行』的舉動是非常佩服的。

我現在想：中國古人造字的時候，語言和文字必定完全一致。因為文字本來是語言的記號，嘴裏說這個聲音手下寫的就是表這個聲音的記號。斷沒有手下寫的記號和嘴裏說的聲音不相合的。拿『六書』裏的『轉注』來一看很可以證明這個道理。像那表『年

錢 序

一

「高」的意義的話這邊叫作 lau 便造個「老」字，那邊叫作 khau，便又造個「考」字。同是一個意義聲音小小不同便造了兩個字可見語言和文字必定一致。因為那邊既叫作 khau，要是仍寫「老」字，便顯不出他的音讀和 lau 不同，所以必須別造「考」字。照這樣看來，豈非嘴裏說的聲音和手下寫的記號不能不相合嗎？所以我說造字的時候語言和文字必定完全一致的。

　　再看「說文」裏的「形聲」字，「正篆」和「重文」所從的「聲」，儘有不在一個韻部裏的；——又有說文裏雖有「本字」而後人因為音讀變古不得不假借別的同音字來替代的：——這都是今音與古音不同而字形跟了改變的證據。

　　至於古語和今語的變遷，更有可以證明的。例如「父」「母」兩字古音本讀 pu mai，後來音變為 fu mu 把古音的 pu mai 完全消滅了，所以未曾別造新字但是讀書雖讀 fu

，講話却又變爲 pa ma，于是在『父』『母』兩字以外又別造『爸』『媽』兩字來表 pa ma 的音。此外如用在句末表商度的『夫』字古音讀 bu 音變爲 fu 講話時又變爲 ba，于是就借用『罷』字用在句末表疑問的『無』字古音讀 mu 音變爲 vu 再變爲 u 講話時又變爲 ma 就別造『嗎』字——這都可以證明字形一定跟着字音轉變的。

……照這樣看來漢字的字形旣不跟着字音轉變那便該永遠是『言文一致』的了。 爲甚麼二千年來語言和文字又相去到這樣的遠呢？

我想這是有兩個緣故。

第一　給那些民賊弄壞的。

那些民賊最喜歡擺架子無論甚麼事情總要和平民兩樣才可以使他那野蠻的體制尊榮起來。 像那喫的穿的住的妻妾的等級僕役的數目都要定得不近人情並且決不許他人

錢　序

效法。對於文字也用這個辦法。所以嬴政看了那蠆犯的『皇』字和皇帝的『皇』字（『皇』字的古寫）上半邦從『自』字，便硬把『皇』字改用『罪』字。『朕』字本來和『我』字一樣在周朝，無論甚麼人自已都可以稱『朕』像那屈平的離騷第二句『朕皇考曰伯庸』就是一個證據；到了嬴政又把這『朕』字獨佔了去不許他人自稱　此外像『宮』字『奎』字『欽』字『御』字之類都不許他人學他那樣用。又因為中國國民很有『尊古』的皮氣民賊又利用這一點作起那甚麼『制』『詔』『上諭』來一定要寫上幾個尚書裏的字眼像甚麼『誕膺天命』『寅紹丕基』之類好叫那富於奴性的人可以震驚讚歎。於是那些小民賊也從而效尤定出許多野蠻的款式來凡是作到文章尊貴對於卑賤，必須要裝出許多妄自尊大看不起人的口吻卑賤對於尊貴又必須要裝出許多灣腰屈膝脅肩詔笑的口吻。其實這些所謂『尊貴』所謂『卑賤』的人當面講話究竟彼此也沒有甚麼大分別只有作到文章便可以實行那『驕』『詔』兩個字。要是沒有那種『驕』『詔』

的文章這些民賊的架子便擺不起來了所以他們是最反對那質樸的白話文章的、這種沒有道理的辦法行得久了習非成是大家反以為文章不可不照這樣作的要是有人不照這樣作還要說他不對。　這是言文分離的第一個緣故。

第二，　給那些文妖弄壞的。

周秦以前的文章大都是用白話作的。像那盤庚大誥後世讀了雖然覺得『佶屈聱牙』，異常古奧，然而這種文章實在是當時的白話告示。　又像那堯典裏用『都』『俞』『吁』『咈』等字和現在的白話文章裏用『啊呀』『嗄』『哦』『唉』等字有甚麼分別？公羊用齊言楚辭用楚語，和現在的小說裏攙入蘇州，上海廣東北京等處的方言有甚麼分別？還有一層所用的白話要是古今有異那就　定用今語決不硬嵌古字強摹古貌。　像孟子裏說的，『洚水者洪水也』『泄泄猶沓沓也』這其因為古今語言不同古人叫『洚水』和『泄泄』孟軻的時候叫『洪水』和『沓沓』所以孟軻自己作文章必用『洪水』和『沓沓』

序

五

錢 序

〔六〕

到了引用古書雖未便直改原文，可是必須用當時的語言去證明古語。再看李耳孔丘墨翟、莊周孟軻荀況韓非這些人的著作，文筆無一相同都是各人作自己的文章，絕不摹擬別人。所以周秦以前的文章很有價值。到了西漢言文已漸分離然而司馬遷作史記采《尚書》一定要改去原來的古語作漢朝人通用的文章。像「庶績咸熙」改為「眾功皆興」，《臨庸可乎》改為「頑凶勿用」之類。可知其時言文雖然分離但是作到文章仿舊不能和當時的語言相差太遠。要是過於古奧的文句還是不適用的。東漢的王充作《論衡》其《自紀》篇中有曰「論衡者論之平也。口則務在明言筆則務在露文」。又曰「言以明志言恐滅，故著之文字文字與言同趨何為獨當隱閉指意」。又曰「經傳之文賢聖之語古今言殊，四方談異也。當言事時非務難知使指閉隱也」。這是表明言文應該一致甚麼時代的人便該用甚麼時代的話。

不料西漢末年出了一個揚雄做了文妖的始祖。這個文妖的文章專門摹擬古人。一

都法言看了真要叫人惡心。 他的僻賦又是異常雕琢，東漢一代頗受他的影響。 到了建安

七子連寫信札都要裝模作樣安上許多浮詞。 六朝的駢文滿紙堆砌詞藻毫無真實的情感；

甚至用了典故來代實事删割他人的名號去就他的文章對偶。 打開文選一看這種拙劣惡

濫的文章觸目皆是。 直到現在還有一種妄人說「文章應該照這樣作」「文選文章為千

古文章之正宗」 這是第一種弄壞白話文章的文妖。

　　唐朝的韓愈柳宗元矯正文選派的弊害所作的文章略能近於語言之自然。 要是總起

的人能夠守住韓柳矯弊的意思漸漸的囘到白話路上來豈不甚好。 無如宋朝的歐陽修蘇

淘這些人名為學韓柳却不會學韓柳的矯弊但會學韓柳的句調間架無論作甚麼文章都

有一定的腔調這種可笑的文章和那文選派相比真如二五和一十半斤和八兩的比例。 明

清以來歸有光，方苞姚鼐曾國藩這些人拚命作韓柳歐蘇那些人的死奴隸立了甚麼「桐城

派」的名目還有甚麼「義法」的話關得烏煙瘴氣。 全不想想作文章是為的甚麼也不看

鈔序

七

看，秦漢以前的文章是個甚麼樣子。　分明是自己作的，偏要叫作『古文』，但看這個名稱，便

可知其人一竅不通，毫無常識。　那曾國藩說得更妙，他道『古文無施不宜，但不宜說理耳』

這真是自畫供招，表明這種甚麼『古文』是毫無價值的文章了。　這是第二種弄壞白話

文章的文妖。

這兩種文妖是最反對那老實的白話文章的。　因為作了白話文章，則第一種文妖便不

能搬運他那些垃圾的典故肉麻的詞藻第二種文妖便不能賣弄他那些可笑的義法無謂的

格律。　并且若用白話作文章那會作文章的人必定漸漸的多起來這些文妖就失去了他那

會作文章的名貴身分這是他最不願意的。

　　二千年來的文學被民賊和文妖弄壞固然是很可惜的事。　但是民賊和文妖的能力，究

竟有限終不能滅盡白話文學的種子。　所以在這二千年中白話的文學也常常發現——

論議和記載的文章，像司馬遷的史記，王充的論衡，其中的文章縱不能斷定他純粹是當時的白話，但必可斷定他甚近於白話的。此外如王羲之，蘇軾，朱熹，王守仁，李贄，鄭燮諸人的信札，頗有許多純粹用白話寫的，（明朝愛用白話寫信的人很多很多。）至於宋明兩朝學者的『語錄』純粹是用白話記的那更不消說了。

白話詩是更多了。我們簡直可以斷言中國的白話詩自從詩經起，直到元明的戲曲，是沒有間斷過的。漢魏六朝的樂府歌謠都是自由使用他們當時的語言作成的，看他抒情的真摯和造句的自然實在可以和詩經中的『風』詩比美。其他如陶曆的五言詩李白杜甫諸人的古體詩任居易的新樂府李煜柳永辛棄疾蘇軾諸人的詞的一部分邵雍張九成這些理學先生的詩關漢卿到李漁諸人的曲，……都是白話詩。

從元朝以後小說漸漸發達。最有價值的，如施耐菴的水滸，曹雪芹的紅樓夢吳敬梓的儒林外史都是用極自然的白話作的那是不消說了。其他如吳承恩的西遊記李汝珍的鏡

緒論

九

花緣，李伯元的官場現形記，吳沃堯的二十年目覩之怪現狀之類，也不失為舊小說中第二流的佳作，他們也是純粹用白話作的。

我拿上列的白話雜文白話詩白話小說去同那些文妖的著作相比，覺得文妖很是可憐。原來他們表面上雖然好像橫行一世，其實他們是毫無支配社會的能力的。這是因為他們沒有思想沒有情感的緣故。你看司馬遷能作史記，他們只能作「某公神道碑」「某君墓誌銘」；王充能作論衡，宋明舉者的弟子能記語錄，他們只能作管仲論李斯論王羲之諸人能寫達意的白話信，他們只能作毫無意思的贈序；二千年中許多真文學家能作活潑潑的詩，他們只能作無病呻吟的詩；施耐菴諸人能作善寫人情的小說，他們只能作聖喻畫像記一類的東西。他們這些著作只有科舉時代當他八股和試帖詩的參考書讀，除此以外，就沒有甚麼用處了。到了現代略知文學的人都不屑去研究他們，他們幾乎有「煙消霧滅」明

趨勢所以我說他們可憐——但是可憐而不足惜的

有人對我說：「你說白話文學是從前早已有過的，那麼，你們現在提倡白話的文學，只是復古並非創新了，何以又稱為「新文學」呢？」 我說他這話實在是不對的 我上面所說從前有白話文學不過叙述過去的歷史表明以前本有白話文學罷了，並不是說我們現在所提倡的新文學就是這從前的白話文學，更不是說我們現在就應該學這從前的白話文學 我們都知道某時代有某時代的文學 文學裏的思想情感乃至材料文字句調，都是為時代所支配。 粗淺說來，如杜甫白居易歎息天寶以來從軍之苦，曹雪芹致慨於清初貴族的腐敗家庭，吳敬梓專事形容康乾間書獃子的議論行為——這都是就當時的社會描寫的。 我們只承認這些書的自身有他們的「歷史的價值」決不主張我們今日該去摹擬他們。 要是現在的人作詩表面學樂府或學元曲內容也是「明妃出塞」或「待月西廂」之類作小說，表

面學章回體內容也是『打虎』或『殺嫂』之類那就和文妖說的甚麼『學韓』『學杜』

同一可笑了。

袁　序

所以我們現在作白話的文學，應該自由使用現代的白話——要是再用『邂逅』『顛

不剌的』『兀不的……也麼哥』之類就和用詩經裏的『載』字『言』字『式』字一樣

的不對。——自由發表我們自己的思想和情感，這才是現代的白話文學——才是我們所

要提倡的『新文學』。

適之這本嘗試集第一集裏的白話詩就是用現代的白話達適之自己的思想和情感，不

用古語不抄襲兩人詩裏說過的話。我以為的確當得起『新文學』這個名詞

不過我對於適之的詩也有小小不滿意的地方就是其中有幾首還是用『詞』的句調有

幾首詩因為被『五言』的字數所拘似乎不能和語言恰合；至於所用的文字，有幾處似乎還

姨太文。 所以我於一九一七年七月二日曾經寫信給適之之說——

玄同對於先生之白話詩竊以為猶未能脫盡文言窠臼。 如月第一首後二句是文非

話;月第三首及江上一首完全是文言……又先生近作之白話詞（采桑子）鄙意亦

姨太文。 且有韻之文本有可歌與不可歌二種。 尋常所作自以不可歌者為多。 既

不可歌,則長短任意仿古新創無所不可。 至於可歌之韻文則所塡之字必須恰合音

律,方為合格。 詞之為物,在宋世本是可歌者故各有調名。 後世音律失傳於是文士

按前人所作之字數平仄一一照塡,而云『調寄某某。』 此等塡詞實與作不可歌之

韻文無異;起古之知音者於九原而示之恐必有不合音節之字之句就詢塡詞之本人

以此調音節若何亦必茫然無以為對。 玄同之意以為與其寫了『調寄某某』而不

知其調則何如竟作不可歌之韻文乎？（按那時我還未曾和讀之見面所舉各詩都是

於在新青年裏面的）

撰六

二三

十月三十一日我又寫信給適之說：——

　　現在我們着手改革的初期應該盡量用白話去作才是。倘使稍懷顧忌對於『文』的一部分不能完全捨去那麼便不免在留舊污於進行方面很有阻礙。

緒　序　　　　　一四

十一月二十日接到適之的復信說：——

　　先生論吾所作白話詩以爲『未能脫盡文言窠臼』。此等諍言最不易得。吾於去年（五年）夏秋初作白話詩之時實力屏文言不雜一字。如朋友他嘗試篇之類皆是。其後忽變易宗旨以爲文言中有許多字儘可鎔入白話詩中。故今年所作詩詞往往不避文言。……但是先生十月三十一日來書所言也極有道理。……所以我在北京所作的白話詩都不用文言了。

　　……古來作詞者僅有幾個人能深知音律。其餘的詞人都不能歌。其實詞不必可歌。由詩變而爲詞乃是中國韻文史上一大革命。五言七言之詩不合語言之自然，

－ 38 －

故變而爲詞。詞，詞舊名「長短句」，其長處正在長短互用，稍近語言之自然耳。即

如稼軒詞：『落日樓頭斷鴻聲裏江南遊子把吳鈎看了闌干拍遍無人會登臨意』此

決非五言七言之詩所能及也。故詞與詩之別，並不在一可歌而一不可歌乃在一近

語言之自然而一不近語言之自然也。作詞而不能歌之不足爲病。正如唐人絕句

大半可歌然今人不能歌亦不妨作絕句也。

詞之重要在於其爲中國韻文添無數近於語言之自然之詩體。此爲治文學史者所

最不可忽之點。不會填詞者必以爲詞之字句皆有定律其束縛自由必甚。其

實大不然。詞之好處在於調多甚多可以自由選擇。工調者相近而擇調並無不自

由也。人或問：『既欲自由又何必擇調』吾答之曰凡可傳之詞調者經名家製定，

其音節之諧妙字句之長短皆有特長之處。吾輩就已成之美調略施裁剪更可得絕

妙之音節又何樂而不爲乎……

然詞亦有二短(1)字句終嫌太拘束(2)只可用以達一層或二層意思至多不過能達三

層意思。 曲之作，所以救此兩弊也。 有襯字則字句不嫌太拘；可成套數則可以作長

篇。 故詞之變為曲猶詩之變為詞，皆所以求近於語言之自然也。

最自然者終莫如長短無定之韻文。 元人之小詞即是此類。 今日作『詩』（廣義

言之）似宜注重此種長短無定之體。 然亦不必排斥固有之詩詞曲諸體。 要各隨

所好，各相題而擇體可矣。

我再復適之說：——

論填詞一節，先生最後之結論，也是歸到『長短無定之韻文』，是吾二人對於此事，持

論全同，可以不必再辯。 惟我之不贊成填詞正與先生之主張廢律詩，同意無非因其

束縛自由耳。 先生謂『工詞者相題而擇調並無不自由』，然則工律詩者所作律

詩又何嘗不自然？ 不過求『工』之時，作律詩勉強對對子，填詞硬扣字數硬填平仄，

一六

實在覺得勞苦而無謂耳。總而言之，今後當以「白話詩」寫正體，（此「白話」，是廣義的，凡近於語言之自然者皆是。此「詩」亦是廣義的，凡韻文皆是。）其他古體之詩詞曲偶一爲之固無不可然不可以爲韻文正宗也。 近來適之作的人力車夫、老鴉等詩都用「長短無定」極自然的句調了。

關於這個問題適之和我的意見實在沒有甚麼不同。

我自己是不會作詩的人本不配給嘗試集作序。所以寫了這許多的拉雜話對於適之作白話詩沒有絲毫可以供獻。不過我也算一個主張白話文學的人現在看見這本嘗試集、歡喜贊歎莫可名狀不免把這點淺陋的意見寫將出來用「拋磚引玉」的辦法希望適之再把高深的話敎我。

錢　序

一九一八年二月十日錢玄同序。

十七

鎬

苹

一

幂

自序

我這三年以來做的白話詩若干首外做兩集總名爲嘗試集，民國六年九月我到北京以前的詩爲第一集以後的詩爲第二集，民國五年七月以前我在美國做的文言詩詞刪剩若干首合爲去國集印在後面作一個附錄。

我的朋友錢玄同曾替嘗試集做了一篇長序，把應該用白話做文章的道理說得狠痛快透切。我現在自己作序只說我爲什麼要用白話來做詩這一段故事可以算是嘗試集產生的歷史可以算是我個人主張文學革命的小史。

我做白話文字起於民國紀元前六年，（丙午）那時我替上海競業旬報做了半部章回小說和一些論文都是用白話做的。到了第二年，（丁未）我因脚氣病，出學堂養病，病中無事，我天天讀古詩從蘇武李陵直到元好問單讀古體詩不讀律詩。那一年我也做了幾篇詩內中有一篇五百六十字的遊萬國賽珍會，和一篇近三百字的棄父行以後我常常做詩到我往美

自序

二〇

國時，已做了兩三首詩了。我先前不做律詩因為我少時不曾學對對子，心裏總覺得律詩難

做。後來偶然做了一些律詩，覺得律詩原來是最容易做的玩意兒，用來做應酬朋友的詩再方

便也沒有了。我初做詩，人都說我像白居易一派。後來我因為要學時髦，也做一番研究杜甫的

工夫。但是我讀杜詩只讀不壞速，自京赴奉先詠懷一類的詩，律詩中五律我極愛讀七律中最

討厭的與一類的詩，常常說這些詩文法不通只有一點空架子。

自民國前六七年到民國前二年　庚戌）可算是一個時代。這個時代已有不滿意於當

時舊文學的趨向了我近來在一本舊筆記裏（名自勝生隨筆，是丁未年記的）翻出這幾條

論詩的話：

作詩必使老嫗聽解固不可。然必使士大夫讀而不能解亦何故耶（錄麓堂詩話）

東坡云『詩須有為而作』元遺山云『縱橫正有凌雲筆，俯仰隨人亦可憐』（錄

南濠詩話）

這兩條都有密闊，也可見我十六歲時論詩的旨趣了。

民國前二年我往美國留學初去的兩年作詩不過兩三首，民國成立後，任叔永（鴻雋）楊杏佛（銓）同來綺色佳（Ithaca）有了做詩的伴當了。集中文學篇所說：

明年任與楊遠道來就我，山城風雪夜枯坐殊未可。

烹茶更賦詩有倡還須和詩爐久灰冷從此生新火。

都是實在情形。在綺色佳五年我雖不專治文學但也頗讀了一些西方文學書籍，無形之中，總受了不少的影響所以我那幾年內詩胆子已大得多去國集裏的耶穌誕節歌和久雪後大風作歌都帶有試驗意味。後來做自殺篇，完全用分段作法試驗的態度更顯明了。藏暉室劄記有

三冊有跋自殺篇一段說：

……吾國作詩特不重言外之意，故說理之作極少。

求一僕蒲（Pope）已不可多得何況華茨活（Wordsworth）賞推（Goethe）與白

朗吟（Browning）矣此篇以吾所持樂觀主義入詩全篇寫說理之作雖不能佳，然途徑

具在他日多作之或有進境耳。　　　　　　　（民國三年七月七日）

又跋云：

吾近來作詩頗能不依人蹊徑亦不專學一家命意固無從摹倣即字句形式亦不爲古

人成法所拘，蓋頗能獨立矣。　　（七月八日）

民國四年八月，我作一文論『如何可使吾國文言易於敎授』文中列舉方法將修還不

曾主張用白話代文言但那時我已明言『文言是牛死之文字不當以敎活文字之法敎之』

又說：『活文字者日用語言之文字如英法文是也；如吾國之白話是也。死文字者如希臘拉丁，

非日用之語言已陳死矣牛死文字者以其中尚有日用之分子在也如犬字是已死之字狗字

是活字乘馬是死語騎馬是活語。故曰牛死文字也』　（劄記第九冊）

四年九月十七夜，我因爲自已要到紐約進哥倫比亞大學，梅覲莊（光迪）要到康橋進

哈佛大學。故作一首長詩送觀莊詩中有一段說：

梅君梅君毋自鄙神州文學久枯餒，百年未有健者起，新潮之來不可止，文學革命其時

矣！吾輩勢不容坐視，且復號召二三子，革命軍前杖馬箠，鞭笞驅除一車鬼，再拜迎入新

世紀以此報國未云菲，縮地戡天差可儗，梅君梅君毋自鄙！

筆戰任叔永把這些外國字連綴起來做了一首游戲詩送我：

牛敦，愛迭孫，培根，客爾文，索虜與霍桑，「烟士披里純」

鞭笞一車鬼，爲君生瓊英，文學今革命，作歌送胡生。

原詩共四百二十字全篇用了十一個外國字的譯音，不料這十一個外國字就惹出了幾年的

我接到這詩在火車上依韻和了一首寄給叔永諸人：

詩國革命何自始？要須作詩如作文，琢鏤粉飾喪元氣，貌似奈必詩之純。

小人行文顧大胆，諸公一一皆人英，願共僇力莫相笑，我輩不作腐儒生。

自　序

二三

自　序　　二四

梅覯莊誤會我『作詩如作文』的意思，寫信來辯論。他說：

……詩文截然兩途，詩之文字與文之文字，自有詩文以來，無論中西已分道而馳。……

……足下為詩界革命家，改良詩之文字則可；若懂移文之文字於詩，卽謂之革命則不可也。……以其太易易也。

濕對信逼我把詩界革命的方法表示出來，我的答書不曾留稿，今鈔答叔永書一段如下：

適以為今日欲救舊文學之弊，先從滌除『文勝』之弊入手，今人之詩徒有鏗鏘之韻，貌似之辭耳。其中實無物可言，其病根在於重形式而去精神，在於以文勝質。詩界革命當從三事入手：第一須言之有物，第二須講求文法，第三當用『文之文字』時不可故意避之三者皆以質救文之弊也。……

觀莊所論『詩之文字』與『文之文字』之別，未不盡當。即如白香山詩『城雲臣按六典，書任土貢有不貢無道州东土所生者，只有矮民無矮奴！』李義山詩『公之斯文若元氣，先時已入人肝脾』……此諸句

所用文字，『是詩之文字』乎抑『文之文字』乎又如適贈足下詩，『國事今成遍體瘡治頭治腳俱所急』此中字字皆覩莊所謂『文之文字』……可知『詩之文字』原不異『文之文字』正如詩之文法原不異文之文法也……（五年二月二日）

『詩之文字』一個問題也是狠重要的問題因為有許多人只認風花雪月蛾眉朱顏銀漢，玉容等字是『詩之文字』做成的詩讀起來字字是詩仔細分析起來一點意思也沒有所以我主張用樸實無華的白描工夫如白居易的道州民如黃庭堅的題蓮華寺如杜甫的自京赴奉先詠懷這類的詩詩味化骨子裏，在質不在文沒有骨子的濫調詩人決不能做這類的詩。所以我的第一條件便是『言之有物』因為注重之點在言中的『物』故不問所用的文字是詩的文字還是文的文字。覩莊認做『僅移文之文字於詩』所以錯了。

這一次的爭論是民國四年到五年春間的事那時影響我個人最大的，就是我平常所說的『歷史的文學進化觀念』這個觀念是我的文學革命論的基本理論劄記第十册有五年

自序

二五

白　序

四月五日夜所記一段如下：

文學革命在吾國史上非創見也，即以韻文而論，三百篇變而爲騷一大革命也、又變爲

五言七言二大革命也。賦變而爲無韻之駢文古詩變而爲律詩三大革命也詩之變而

爲詞四大革命也詞之變而爲曲爲劇本五大革命也何獨於吾所持文學革命論而疑

之文亦遭幾許革命矣自孔子至於秦漢中國文體始臻完備六朝之文……亦有可觀

者然其時駢儷之體大盛文以工巧雕琢見長文法逐衰韓退之所以稱「文起八代之

衰」者其功在於恢復散文講求文法此一革命也。……宋人談哲理者深悟古文之

不適於用於是語錄體與爲語錄體者禪門所嘗用以俚語說理紀言。……此亦一大

革命也至元人之小說也皆第一流之文學而皆以俚語爲之其時吾國眞可謂有一種「

也曲也劇本也小說也……總之文學革命至元代而極盛其時之詞

活文學」出現憶此革命潮流（革命潮流卽天演進化之迹自其異者言之謂之革命；

自其循序漸進之迹言之即謂之進化可也）不遭明代八股之刼不遭前後七子復古

之刼則吾國之文學已成俚語的文學而吾國之語言早成為言文一致之語言、可無疑

也但丁之創意大利文學郤奠蕾之創英文學路得之創德文學未足獨有千古炎惜乎

五百餘年來半死之古文半死之詩詞復奪此『活文學』之席而『半死文學』遂苟

延殘喘以至於今日……文學革命何可更緩耶何可更緩耶

過了幾天，我填了一首沁園春詞題目就叫做『誓詩』其實是一篇文學革命宣言書：

更不傷春更不悲秋以此誓詩任花開也好花飛也好月圓固好日落何悲我閒之曰『

從天而頌郄輿制天而用之？』更安用為蒼天歌哭作彼奴為　文章革命何疑瓦準備

塞底作健兒要前空千古下開百世收他臭腐還我神奇為大中華造新文學此業吾曹

欲讓誰詩材料有簇新世界供我驅馳！　　　　（四月十三日）

遺首詞上牛所攻擊的是中國文學『無病而呻』的惡習慣我是主張樂觀，主張進取的人叔

自　序

二七

極力攻擊這種卑弱的根性。下半首是去國集的尾聲，是嘗試集的先聲。

以下要說發生嘗試集的近因了。

五年七月十二日任叔永寄我一首泛湖卽事詩，這首詩裏有『言棹輕楫以滌煩痾』和『猜謎賭勝追歡笑，載笑載言』兩句，我回他的信說：

……詩中『言棹輕楫』之言字及『載笑載言』之載字又如『猜謎賭勝追歡笑，載笑載言』兩句，上句為二十世紀之活字，下句為三千年前之死句殊不相稱也。……

（七月十六日）

不料這幾句話觸怒了一位旁觀的朋友。那時梅覲莊在綺色佳過夏，見了我給叔永的信，他寫信來痛駁我道：

足下所自矜為文學革命真諦者，不外乎用『活字』以入文。於叔永詩中稍古之字，皆所不取以為非『二十世紀之活字』。……夫文字革新須洗去舊日腔套務去陳言，

固矣。然此非謂屏古人所用之字而另以俗語白話代之之謂也。……足下以俗語白話

為向來文學上不用之字驟以入文似覺新奇而美實則無永久價值因其向來經美術

家鍛鍊徒諉諸恐夫愚婦無美術觀念者之口歷世相傳愈趨愈下鄙俚乃不可言足下

得之乃矜矜自喜炫為創獲異矣如足下之言則人間材智選擇教育諸事皆無足算而

村農儈父皆足為詩人美術家矣。

甚至非洲黑蠻南洋土人其言文無分者最有詩人美術家之資格矣。

至於無所謂『活文學』亦與足下前此言之……文字者，世界上最守舊之物也……

足下乃視改革文字如是之易乎？……

觀莊這封信不但完全誤解我的主張並且說了一些沒有道理的話故我做了一首一千多字

的白話游戲詩答他。這首詩雖是游戲詩也有幾段莊重的議論如第二段說：

文字沒有雅俗却有死可活道。

又如第五段說：

今我苦口曉舌算來却是為何？

若必叫幗作巾叫轎作輿豈非張冠李戴認虎作豹……

至於古人乘輿今人坐轎古人加冠束幘今人但知戴帽；

古名雖未必不佳今名又何嘗不妙？

至於古人叫字今人叫號古人懸梁今人上弔；

並無雅俗可言何必紛紛胡鬧。

本來同是一字聲音少許變了。

古人叫做溺今人叫做尿；

古人叫做至今人叫做到；

古人叫做欲今人叫做要；

自序

三〇

正要求今日的文學大家，

把那些活潑潑的白話拿來鍛鍊，拿來琢磨拿來作文演說作曲作歌──

出幾個白話的囂俄和幾個白話的東坡。

那不是「活文學」是什麼？

那不是「活文學」是什麼？

這一段全是後來用白話作實地試驗的意思。

這首白話游戲詩是五年七月二十二日做的，一半是朋友游戲，一半是有意試做白話詩，不料梅任兩位都大不以爲然覲莊來信大罵我他說：

讀大作如兒時聽蓮花落，真所謂革盡古今中外人之命者足下誠豪健哉蓋今之西洋詩界若足下之張革命旗者亦數見不鮮最著者有所謂 Futurism, Imagism, Free Verse, 及各種 decadent movements in Literature and in arts 皆 Futurism, Imagism, Free Verse, 及各種 decadent movements in Literature and in arts。大約皆足下俗話詩

之流亞皆喜以「前無古人後無來者」自豪，皆喜詭立名字號召徒眾以眩世人之耳目而己則從中得名士頭銜以去焉……

信尾又有兩段添入的話：

序

文章體裁不同，小說詞曲固可用白話，詩文則不可。今之歐美狂瀾橫流，所謂『新潮流』者豈已聞之熟矣，誠舉足下勿剽竊此種不值錢之新潮流以哄國人也。

（七月二十四日）

這封信頗使我不心服，因為我主張的文學革命，祇是就中國今日文學的現狀立論，和歐美的文學新潮流並沒有關係；有時借鏡於西洋文學史也不過舉出三四百年前歐洲各國產生『國語的文學』的歷史，因為中國今日國語文學的需要狠像歐洲當日的情形，我們研究他們的成績也許使我們減少一點守舊性增添一點勇氣。覿莊硬派我一個『剽竊此種不值錢之新流潮以哄國人』的罪名，我如何能心服呢？

三二

叔永來信說：

足　此次試驗之結果乃完全失敗是也。……要之，白話自有白話用處，（如作小說演說等）然不能用之於詩如凡白話皆可爲詩則吾國之京調高腔何一非詩……烏平適之！吾人今日言文學革命乃誠見今日文學有不可不改革之處非特文言白話之爭而已。吾嘗默省吾國今日文學界即以詩論其老者如鄭蘇盦陳伯嚴輩其人頭腦已死只可讓其與古人同朽腐其幼者如南社一流人淫濫委瑣亦去文學千里而猶囂囂國內，如吾儕欲以文學自命者舍自倡一種高美芳潔之文學更無吾儕廁身之地以足下高才有爲，何爲舍大道不由而必旁逸斜出植美卉於荊棘之中哉？……唯以此（白話）作詩則僕期期以爲不可。……今且假令足下之文學革命成功將令吾國作詩者皆高腔京調（陶謝李杜之流將永不復見於神州則足下之功又何若哉？……

……（七月二十四夜）

自　序

三三

自 序

三四

觀莊說『小說詞曲固可用白話，詩文則不可』。叔永說，『白話自有白話用處，（如作小說演說等）然不能用之於詩』這是我最不承認的我答叔永信中說：

……白話入詩，古人用之者多矣。（此下舉放翁詩及山谷稼軒詞為例）……總之，白話之能不能作詩，此一問題全待吾輩解決解決之法不在乞憐古人謂古之所無，今必不可有而在吾輩實地試驗。一次『完全失敗』何妨再來若一次失敗便『期期以為不可』此豈科學的精神所許乎？

這一段乃是我的『文學的實驗主義』我三年來所做的文學事業只不過是實行這個主義，

答叔永書很長我且再鈔一段

……今且用足下之字句以述吾夢想中之文學革命曰：

(1)文學革命的手段要令國中之陶謝李杜敢用白話京調高腔作詩要令國中之陶

謝李杜皆能用白話京調高腔作詩。

(2)文學革命的目的要令白話京調高腔之中產出幾許陶謝李杜。

(3)今日決用不着「陶謝李杜的」陶謝李杜。若陶謝李杜生於今日仍作陶謝李杜當日之詩則決不能更有當日的價值與影響何也時代不同也。

(4)吾輩生於今日與其作不能行遠不能普及的五經兩漢六朝八家文字不如作家喻戶曉的水滸西游文字與其似陶似謝似李似杜的詩不如作不似陶謝不似李杜的白話詩與其作一個學那個的鄭蘇盦陳伯嚴不如作一個實地試驗「旁逸斜出」『舍大道而弗由』的胡適之。

……吾志決矣吾自此以後不更作文言詩詞。

古人說：『工欲善其事必先利其器。』文字者文學之器也我私心以為文言決不足為吾國將來文學之利器施耐菴曹雪芹諸人已實地證明作小說之利器在於

這是第一次宣言不做文言詩詞過了幾天我再答叔永道：

……(七月二十六日)

自 序

三六

白話今尚需人實地試驗白話是否可為韻文之利器耳。……我自信頗能用白話作

散文但尚未能用之於韻文。私心頗欲以數年之力實地練習。倘數年之後竟能用文

言白話作文作詩，無不隨心所欲，豈非一大快事？我此時練習白話韻文頗似新闢一文

學殖民地。可惜須單身匹馬而往，不能多得同志結伴同行。然吾去志已決。公等假我數

年之期，倘此新國盡是沙磧不毛之地則我或終歸老於『文言詩國』亦未可知儻幸

而有成則闢除荆棘之後當開放門戶迎公等同來蒞止耳！『狂言人道臣當烹我自不

吐定不快人言未足為重輕』足下定笑我狂耳。…… （八月四日）

這時我已開始作白話詩還不曾做得幾首詩集的名字已定下了，那時我想起陸游有

一句詩：『嘗試成功自古無』我愛得這個意思恰和我的實驗主義反對故用『嘗試』兩字

作我的白話詩集的名字。要看『嘗試』究竟是否可以成功，那時我已打定主意努力做白話

詩的試驗；心裏只有一點痛苦，就是同志太少了『須單身匹馬而往，』我平時所最敬愛的一

班朋友都不肯和我同去探險。但是我若沒有這一班朋友和我打筆墨官司，我也決不會有這樣的嘗試決心莊？說得好：「彼出於是是亦因彼」我至今回想當時和那班朋友一日一郵片三日一長函的樂趣覺得那眞是人生最不容易有的幸福。我對於文學革命的一切見解，所以能結晶成一種有系統的主張全都是同這一班朋友切磋討論的結果。五年八月十九日我寫信答朱經農（經）中有一段說：

新文學之要點約有八事：

（一）不用典
（二）不用陳套語，
（三）不講對仗
（四）不避俗字俗話，
（五）須講求文法。　　以上爲形式的一方面。

自　序

三七

（六）不作無病之呻吟，

（七）不摹做古人須語語有個我在，

（八）須言之有物。　以上為精神（內容）的一方面。

這八條，後來成為一篇文學改良芻議（新青年第二卷第五號六年一月一日出版，即此一端便可見朋友討論的益處了。

我的嘗試集起於民國五年七月，到民國六年九月我到北京時已成一小冊子了這一年之中，白話詩的試驗室裏只有我一個人因為沒有積極的幫助故這一年的詩無論怎樣大胆，終不能跳出舊詩的範圍。

我初回國時我的朋友錢玄同說我的詩詞「未能脫盡文言窠臼」又說「嫌太文了」！美洲的朋友嫌「太俗」的詩北京的朋友嫌「太文」了這話我初聽了很覺得奇怪後來平心一想這話真是不錯我在美洲做的嘗試集實在不過是能勉強實行了文學改良芻議裏面

三八

由是因為這一年以來白話散文雖然傳播得狠快狠遠，但是大多數的人對於白話詩仍舊狠

以上說嘗試集發生的歷史現在且說我為什麼趕緊印行這本白話詩集我的第一個理

個理想的目的，但大致都想朝着這個目的做去。這是第二集和第一集的不同之處。

有真正白話詩方才可以表現白話的文學可能性嘗試集第二編中的詩雖不能處處做到這

前一切束縛自由的枷鎖鐐銬一切打破：有什麼話，說什麼話話怎麼說就怎麼說。這樣方才可

非做長短不一的白話詩不可。這種主張可叫做『詩體的大解放』詩體的大解放就是把從

定一個主義若要做真正的白話詩若要充分採用白話的字，白話的文法和白話的自然音節，

化實在無味第二沒自有然的音節不能跟着詩料隨時變化因此，我到北京以後所做的詩認

白話的文法來牽就五七言的句法音節一層也受狠大的影響第一整齊劃一的音節沒有變

句法太整齊了，就不合語言的自然不能不有截長補短的毛病不能不時時犧牲白話的字和

的八個條件實在不過是一些刷洗過的舊詩這些詩的大缺點就是仍舊用五言七言的句法。

　　自　序

　　三九

自　序

四〇

懷疑；還有許多人不但懷疑簡直持反對的態度。因此我覺得這個時候有一兩種白話韻文的集子出來也許可以引起一般人的注意，也許可以供贊成和反對的人作一種參考的材料。第二，我實地試驗白話詩已經三年了，我狠想把這三年試驗的結果供獻給國內的文人作為我的試驗報告。我狠盼望有人把我試驗的結果仔細研究一番加上平心靜氣的批評使我也可以知道這種試驗究竟有沒有成績，用的試驗方法究竟有沒有錯誤。第三，無論試驗的成績如何，我覺得我的嘗試集至少有一件事可以供獻給大家的，這一件可供獻的事就是這本詩所代表的『實驗的精神』。我們這一班人的文學革命論所以同別人不同，全在這一點試驗的態度。近來稍稍明白事理的人都覺得中國文學有改革的必要。即如我的朋友任叔永他也說：『烏乎適之！吾人今日言文學革命，乃誠見今日文學有不可不改革之處，非特文言白話之爭而已。』甚至於南社的柳亞子也要高談文學革命，但是他們的文學革命論祇提出一種空蕩蕩的目的，不能有一種具體進行的計畫。他們都說文學革命決不是形式上的革命，決不是文言

白話的問題等到人間他們究竟他們所主張的革命『大道』是什麼，他們可回答不出了這種沒有具體計畫的革命—無論是政治的是文學的—決不能發生什麼效果。我們認定文字是文學的基礎，故文學革命的第一步就是文字問題的解決。我們認定『死文字決不能產生活文學』故我們主張若要造一種活的文學必須用白話來做文學的工具，我們也知道單有白話未必就能造出新文學，我們也知道新文學必須要有新思想做裏子，但是我們認定文學革命須有先後的程序先要做到文字體裁的大解放方才可以用來做新思想新精神的運輸品。我們認定白話實在有文學的可能，實在是新文學的唯一利器。但是國內大多數人都不肯承認這話，—他們最不肯承認的，就是白話可作韻文的唯一利器。我們對於這種懷疑這種反對沒有別的法子只有一個法子，就是科學家的試驗方法。科學家遇着一個未經實地證明的理論只可認他做一個假設；須等到實地試驗之後方才用試驗的結果來批評那個假設的價值。我們主張白話可以做詩因為未經大家承認只可說是一個假設的理論，我們這

自　序

四二

三年來，只是想把這個假設用來做種種實地試驗—做五言詩，做七言詩，做嚴格的詞，做極不

整齊的長短句；做有韻詩做無韻詩做種種音節上的試驗—要看白話是不是可以做好詩，要

看白話詩是不是比文言詩要更好一點這是我們這班白話詩人的『實驗的精神』。我這本

集子裏的詩，不問詩的價值如何總都可以代表這點實驗的精神這兩年來，北京有我的朋友

沈尹默，劉半農周豫才周啓明傅斯年俞平伯康白情諸位美國有陳衡哲女士都努力作白話

詩。白話詩的試驗室裏的試驗家漸漸多起來了但是大多數的文人仍舊不敢輕易『嘗試』。

他們永不來嘗試嘗試，如何能判斷白話詩的問題呢耶穌說得好：『收穫是狠多的，可惜做工

的人太少了』所以我大胆把這本嘗試集印出來要想把這本集子所代表的『實驗的精神』

貢獻給全國的文人，請他們大家都來嘗試嘗試。

我且引我的嘗試篇作這篇長序的結論：

『嘗試成功自古無』！—放翁這話未必是我今為下一轉語：『自古成功在嘗試』請看藥

聲聲百草嘗了一味又一味，又知名醫試罪罰罰何嘗六百零六次費盡心力總難成功那裡

這樣容易事有時試到千百回始知前功盡地拋棄即使如此已無媿即此失敗便足記告

人『此路不通行』可使腳力莫枉費。

我生求師二十年今得『嘗試』兩個字作詩做事要如此，雖未能到顏有志作『嘗試

歌』頌吾師頌大家都來嘗試！

八年八月一日。　胡適。

自序

二三

嘗試集 第一編

嘗試篇　有序

嘗試集

陸放翁集裏有一首詩：

能仁院前有石像丈
餘蓋作大像時樣也。
江閣欲開千尺像雲龕
先定此規模斜陽徒倚
空長歎嘗試成功自古
無。

放翁這首詩大概是有所
為而作的，但末一句「嘗
試成功自古無」的意思
狠容易發生誤會當日造
像的人先造小像作為一
種「嘗試」。倘使因為小
像成功故千尺的大像也
畢竟成功那豈不是「嘗
試」的功效嗎？即使嘗試
的結果使人知道大像的

一

嘗試集

不可成那也是「嘗試」
的功效。

天下決沒有不嘗試而能
成功的事，也沒有不用嘗
試就可預料成敗的事。

古來說大話的人儘多。放
翁自己也曾夜夜「夢中
奪得松亭關」，日日高談
「會與君王掃燕趙」。究

二

竟他眞有這種本領沒有，
若沒有嘗試誰能知道呢？
還不是一些紙上的大話
嗎？

我因爲不承認放翁這句
話故用「嘗試」兩字做
我的白話詩集的名字，又
作這詩表示我的態度。

「嘗試成功自古無」！放翁這話

未必是我今爲下一轉語自古成

功在嘗試請看藥聖嘗百草嘗了

一味又一味又如名醫試丹藥何

嫌六百零六次莫想小試便成功，

那有這樣容易事有時試到千百

囘始知前功盡抛棄卽使如此已

無愧卽此失敗便足記告人此路

不通行，可使脚力莫枉費。

我生求師二十年今得「嘗試」

兩個字作詩做事要如此雖未能

到頗有志作「嘗試歌」頌吾師，

願大家都來嘗試！

五年九月三日。

嘗試集

三

孔丘

子路宿於石門。晨門曰，「奚自？」曰「自孔氏。」曰，「是知其不可而爲之者歟？」

葉公問孔子於子路，子路不對。子曰，「女奚不曰其爲人也發憤忘食樂以忘憂，不知老之將至云爾？」

這兩段最可以寫孔丘的爲人。

「知其不可而爲之」，亦「不知老之將至。」

認得這個眞孔丘，一部論語都可廢。

五年七月二十九日。

蝴蝶

兩個黃蝴蝶，雙雙飛上天。

不知為什麼，一個忽飛還。

剩下那一個，孤單怪可憐；

也無心上天，天上太孤單。

五年八月二十三日。

嘗試集

贈朱經農

經農自美京來訪余於紐約，暢談極歡三日之留，忽遂盡別後終日不樂，作此寄之。

六年你我不相見時在赫貞

江邊握手一笑不須說你我於今

更少年。

五

嘗試集　六

回頭你我年老時，粉條黑板作
講師，更有暮氣大可笑喜作喪氣
頹唐詩。

那時我更不長進往往喝酒不
顧命；有時儘日醉不醒明朝醒來
害酒病。

一日大醉幾乎死，醒來忽然怪
自己父母生我該有用似此真不
成事體。

從此不敢大糊塗六年海外頗
讀書，幸能勉強不喝酒末可全斷
淡巴菰。

年來意氣更奇橫，不消使酒稱
狂生。頭髮偶有一莖白年紀反覺
十歲輕。

舊事三天說不全，且喜皇帝不
姓袁，更喜你我都少年，「辟克匿
克」來江邊赫貞江水乎可憐樹

下石上好作筵黃油麵包頗新鮮，

家鄉茶葉不費錢吃飽喝脹活神

仙，唱個『蝴蝶兒上天』！

五年八月三十一日

（註）西人攜食物出遊卽於野

外聚食之謂之『辟克匿

克』(Picnic)。

他

思祖國也。

你心裏愛他莫說不愛他。

要看你愛他且等人害他。

倘有人害他你如何對他？

倘有人愛他更如何待他？

五年九月六日。

中秋

九月十一夜爲舊歷八月
十五夜。

小星躲盡大星少，果然今夜清光
多！夜半月從江上過，一江江水變
銀河。

虞美人 有序

朱經農來書云：『昨得家
書，書語短而意長，雖有白字，
頗極纏綿之致。晨間復得
一夢，於枕上成兩詞，晨間錄呈
適之以博一笑』經農去
國纔四五月，其詞已存一
傳箋寄語莫說歸期誤』
之句。於此可以窺見家書

八

中之大意也因作此戲之。

先生幾日魂顛倒，他的書來了雖

然紙短却情長帶上兩三百字又

何妨？　可憐一癡對兒女不慣分

離苦；別來還沒幾多時早已書來

細問幾時歸！

　　　　五年九月十二日。

江上

十一月一日大霧追思夏

間一景因成此詩。

雨脚渡江來，

山頭衝霧出。

雨過霧亦收，

江樓看落日。

黃克強先生哀辭

當年曾見將軍之家書，

字跡娟逸似大蘇。

書中之言竟何如？

「一歐愛兒努力殺賊：」——

八個大字，

讀之使人慷慨奮發而愛國。

嗚乎將軍何可多得！

五年十一月九日。

十二月五夜月

一〇。

明月照我牀臥看不肯睡窗上

青藤影，隨風舞娟媚。

我愛明月光，更不想什麼月可

使人愁定不能愁我。

月冷寒江靜心頭百念消欲眠

君照我，我無夢到明朝！

沁園春

五年十二月十七日是我二十五歲的生日獨坐江樓回想這幾年思想的變遷又念不久即當歸去因作此詞並非自壽只可算是一種自誓。

棄我去者，二十五年，不可重來。看江明雪霽，吾當壽我，且須高咏，不用卿杯。種種從前，都成今我，莫更思量更莫哀。從今後，要那麽收果，先那麽栽，忽然異想天開，似天上諸仙采藥囬。有丹能却老，鞭能縮地，芝能點石，觸處金堆。我笑諸仙，諸仙笑我，我敬謝諸仙我不才。葫蘆裏，也有些微物，試與君猜。

嘗試集

八七

病中得冬秀書

一

病中得他書不滿八行紙全無
要緊話頗使我歡喜。

海外「土生子」生不識故里，
終有故鄉情其理亦如此。

二

他不認得他他不認得我我總
常念他這是為什麼？
豈不因我們分定長相親由分
生情意所以非路人？

三

豈不愛自由？此意無人曉情願
不自由也是自由了。

六年一月十六日。

論詩雜記

一

『從天而頌之，孰與制天命而用之？』我愛荀卿天論賦，每作倍根語誦之。

二

『黃昏到寺蝙蝠飛……芭蕉葉大梔子肥。』此是退之絕妙語，何須『塗改清廟生民詩』？

三

『學杜員可亂楮葉』便令加此又怎麼可憐『終歲禿千毫』學像他人忘却我！

六年一月二十夜。

嘗試集

一三

寒江　　嘗試集

江上還飛雪，
遙山霧未開。
浮冰三百畝，
載雪下江來。

六年一月二十五夜。

（註）

敵字楊杏佛所改。原作
丈不如敵字遠矣。

一四

『赫貞旦』答叔永

叔永昨以五言長詩寄我，
有『已見赫貞夕未見赫
貞旦。何當侵辰去起君從
枕畔』之句。作此報之。

『赫貞旦』如何聽我告訴你。昨
日我起時東方日初起返照到天
西，彩霞美無比赫貞平似鏡紅雲

滿江底江西山低小，倒影入江紫。
朝霞漸散了朦有青天好江中水
更藍要與天爭姣休說海鷗閒水
凍捉魚難日日寒江上飛去又飛
還。何如我閒散開窗面江岸清茶
勝似酒麵包充早飯。老任偷能來，
和你分一半更可同作詩重咏一
赫貞旦。」

嘗試集

六年二月十九日。

一五

生查子

前度月來時，仔細思量過今度月
重來獨自臨江坐。　風打沒遮樓，
月照無眠我。從來沒見他夢也如
何做?

六年三月六日。

景不徙篇

墨經云，『景不徙，說在改
為』說曰，『景光至景亡。
若在盡古息』莊子天下
篇云，『飛鳥之影未嘗動
也』此言影已改為而後
影已非前影雖不可
見兩實未嘗動移也。

飛鳥過江來，投影在江水鳥逝
水長流此影何嘗徙？
風過鏡平湖，湖面生輕縐湖更
鏡平時畢竟難如舊。
為他起一念十年終不改。有召
即重來，若亡而實在。

六年三月六日。

沁園春

俄京革命時報記其事，有云「俄京之大學生雜衆兵中巷戰其裾幅烏衣易識別也」。吾讀而喜之。因摭其語作沁園春詞催成半闋而意已盡遂棄質之，謂曰俟柏林革命時再作下半闋耳。後讀報記俄政府大赦黨犯其自西伯利亞召歸者蓋十萬人云。放逐囚拘十萬男女志士於西伯利亞此俄之所以不振而「沙」之所以終倒也。然愛自由謀革命者乃至十萬人之多囚拘流徙捶辱慘殺而無悔此革命之所以終成，而新俄之

嘗試集

一七

前途所以正未可量也遂

續成前詞以頌之不更待

<u>柏林之革命消息矣</u>，

客子何思凍雪層冰北國名都。

烏衣藍帽軒昂年少指揮殺賊萬

衆讙呼去獨夫『沙』張自由幟，

此意於今果不虛論代價有百年

文字多少頭顱。　冰天十萬囚徒，

一萬里飛來大赦書本爲自由來，

今同他去與民賊戰竟誰輸拍

手高歌『<u>新俄萬歲</u>』狂態君休

笑老胡從今後看這般快事後起

誰歟？

六年四月十七夜。

朋友篇 寄怡蓀隱慶

將歸詩之一

粗飯還可飽，破衣不算醜。人生無
好友，如身無足手。吾生所交遊益
我皆最厚。少年恨污俗，反與污俗
偶。自視六尺軀，不值一杯酒。儻非
朋友力，吾醉死已久。從此謝諸友，
立身重抖擻。去國今七年，此意未

致賀。新交遍天下，難細數誰某。所
最敬愛者，也有七八九。學理互分
剖，過失賴彈糾。清夜每自思，此身
非吾有：一半屬父母，一半屬朋友。
便卽此一念，足鞭策吾後。今當重
歸來，為國效奔走。可憐程樂亭 鄭仲誠
張古希，少年骨已朽。作歌謝吾友泉
下人知否？

六年六月一日。

嘗試集

一九

— 89 —

文學篇

將歸詩之二

吾將歸國，叔永作詩贈別。

有「歸何人勸我詩」之句。因念吾數年來之文學的興趣，多出於吾友之助。若無叔永杏佛定無《嘗試集》，若無叔永觀莊定無《國集》。若無叔永觀莊，定無《嘗試集》。感此作詩別叔永，杏佛，觀莊。

二〇

我初來此邦，所志在耕種文章，
眞小技救國不中用帶來千卷書，
一一盡分送種菜與種樹往往來入夢。
忽忽復幾時忽大笑吾癡救國
千萬事何事不當爲而吾性所適，
僅有一二宜逆天而拂性所得終

希微。

從此改所業，講學復議政。故國
方新造，紛爭久未定。學以濟時艱，
要與時相應。文章盛世事，今日何
消問？

明年任與楊遠道來就我。山城
風雪夜枯坐殊未可。烹茶更賦詩，
有倡還須和。詩爐久灰冷，從此生
新火。

前年任與梅聯盟成勁敵，與我
論文學，經歲猶未歇。吾敵雖未降，
吾志乃更決。暫不與君辯，且著嘗
試集。

囬嘗四年來，積詩可百首。做詩
的與味，大半靠朋友。佳句共欣賞，
論難見忠厚。如今遠別去，此樂難
再有。

暫別不須悲，諸君會當歸。請與

嘗試集

二一

諸君期明年荷花時春申江之湄，
有酒盈巵，無客不能詩同作歸
來辭！

六年六月一日。

（註）吾初至美國習農學一
年半後改入文科習政治
經濟兼治文學哲學最後
乃專治哲學。

嘗試集

百字令

六年七月三夜，太平洋舟
中見月有懷。

幾天風霧，險些兒把月圓時孤負。
待得他來又還被如許浮雲遮住！
多謝天風吹開明月萬頃銀波怒！
孤舟載月海天衝浪西去！　念我
多少故人，如今都在明月飛來處。

三

別後相思如此月，繞遍地球無數！

幾顆疎星長天空闊，有溼衣涼露。

低頭自語：「吾鄉眞在何許」

嘗試集

二三

二四

嘗試集 第二編

一念

我笑你繞太陽的地球，一日夜只
打得一個回旋；

我笑你繞地球的月亮，總不會永
遠團圓；

我笑你千千萬萬大大小小的星
球，總跳不出自己的軌道線；

我笑你一秒鐘行五十萬里的無
線電，總比不上我區區的心頭

一念！

我這心頭一念：

纔從竹竿巷忽到竹竿尖；

忽在赫貞江上忽在凱約湖邊；

我若真個害刻骨的相思便一分
鐘繞遍地球三千萬轉！

（註） 竹竿巷是我住的巷名。
竹竿尖是吾村後山名。

嘗試集

二五

鴿子

雲淡高天好一片晚秋天氣！

有一羣鴿子在空中遊戲。

看他們三三兩兩，

迴環來往，

夷猶如意，——

忽地裏翻身映日白羽襯青天，鮮

明無比！

人力車夫

二六

警察法令十八歲以下，五

十歲以上皆不得爲人力

車夫。

『車子車子！』車來如飛。

客看車夫忽然中心酸悲。

客問車夫，『你今年幾歲拉車拉

了多少時？』

又是誰？……

六年十一月九夜。

車夫答客，「今年十六拉過三年
車了，你老別多疑」

客告車夫，「你年紀太小我不坐
你車，我坐你車我心慘悽。」

車夫告客，「我半日沒有生意我
又寒又飢。

你老的好心腸，飽不了我的餓肚
皮，

我年紀小拉車警察還不管，你老

嘗試集

二七

老鴉

嘗試集

一

我大清早起，
站在人家屋角上啞啞的啼。
人家討嫌我說我不吉利：——
我不能呢呢喃喃討人家的歡喜！

二

天寒風緊，無枝可棲。
我整日裏飛去飛回整日裏又寒

又飢。——

我不能帶著鞘兒，翁翁央央的替
　人家飛；
也不能叫人家繫在竹竿頭賺一
把黃小米！

三溪路上大雪裏一個紅葉

雪色滿空山撞頭忽見你！
我不知何故心裏狠歡喜；
踏雪摘下來夾在小書裏；
還想做首詩寫我歡喜的道理。
不料此理狠難寫抽出筆來還擱
起。

六年十二月二十二日。

书歡樂

新婚雜詩

一

十三年沒見面的相思，於今完結。
把一樁樁傷心舊事從頭細說。
你莫說你對不住我，
我也不說我對不住你，——
且牢牢記取這十二月三十夜的
中天明月！

二

二九

回首十四年前，

初春冷雨，

中郵簫鼓

有個人來看女壻。

匆匆別後便輕將愛女相許。

只恨我十年作客歸來遲暮，

到如今待雙雙登堂拜母，

只剩得荒草孤墳斜陽淒楚！

最傷心不堪重聽燈前人訴阿母

臨終語！

三

與新婦同至江村歸途在
楊桃嶺上望江村廟首諸
村及其北諸山。

重山蠶嶂，

都似一重重奔濤東向！

山腳下幾個村鄉，

一百年來多少興亡，不堪回想！——

更不須回想！

想十萬萬年前這多少山頭，都不

過是大海裏一些兒微波暗浪！

四

吾訂婚江氏，在甲辰年。戊

申之秋，兩家皆準備婚嫁，

吾力阻之，始不果行。然此

次所用嫁粧，猶多十年舊

物。吾本不欲用爆竹，後以

其為　吾母十年前所備，

不忍不用之。

記得那年，你家辦了嫁粧我家備

了新房，只不曾捉到我這個新

郎！

這十年來，換了幾朝帝王，看了多

少興亡，

嘗試集

三三

銹了你嫁奩中的刀剪,改了你多

少嫁衣新樣,

更老了你和我人兒一雙!——

只有那十年陳的爆竹越陳偏越

響!

五

十幾年的相思剛才完結,

沒滿月的夫妻又匆匆分別。

昨夜燈前絮語全不管天上月圓

月缺。

今宵別後,便覺得這窗前明月格

外清圓,格外親切!

你該笑我飽嘗了作客情懷別離

滋味還逃不了這個時節!

七年一月。

老洛伯 "Auld Robin Gray"

著者爲蘇格蘭女詩人Anne Lindsay 夫人 (1750- 1825）。夫人少年時卽以文學見稱於哀丁堡。初嫁 Andrew Barnard 夫死再嫁 James Bland Burges 當代文人如 Burke 及 Sheridan 皆與爲友。Scott 尤敬禮之。

此詩爲夫人二十一歲時所作，匿名刊行。詩出之後，風行全國終莫知著者爲誰也。後五十二年 Scott 於所著小說中偶言及之，而夫人已老後二年，死矣。此詩向推爲世界情詩之最哀者全篇作村婦口氣，

嘗試集

三三

語語牽眞此當日之白話

詩也。

一

羊兒在欄牛兒在家，

靜悄悄地黑夜，

我的好人兒早在我身邊睡了，

我的心頭寃苦都迸作淚如雨下。

二

我的吉梅他愛我，要我嫁他。

他那時只有一塊銀圓別無什麼；

他爲了我渡海去做活，

要把銀子變成金好回來娶我。

三

他去了沒半月，便跌壞了我的爹

爹病倒了我的媽媽；

剩了一頭牛又被人儹去了。

我的吉梅他只是不囘家！

那時老洛伯便來纏着我要我嫁
他。

四

我爹爹不能做活，我媽他又不能
紡紗，

我日夜裏忙着，如何養得活這一
家？

多虧得老洛伯時常幫襯我爹媽，

他說，『錦妮，你看他兩口兒分上，

嫁了我罷』

五

我那時囘絕了他，我只望吉梅囘
來討我。

又誰知海裏起了大風波，——

人都說我的吉梅他翻船死了！

只拋下我這苦命的人兒一個！

六

我爹爹再三勸我嫁；

我媽不說話他只眼睜睜地望着
我，

望得我心裏好不難過！

我的心兒早已在那大海裏，

我只得由他們嫁了我的身子！

七

我嫁了還沒多少日子，

那天正孤孤悽悽地坐在大門裏，

攀頭忽看見吉梅的鬼——

却原來眞是他，他說，「錦妮，我如
今囘來討你。」

八

我兩人哭着說了許多言語，

我讓他親了一個嘴，便打發他走
路。

我恨不得立刻死了——只是如
何死得下去

天呵！我如何這般命苦！

九

我如今坐也坐不下，那有心腸紡

紗？

我又不敢想着他：

想着他須是一椿罪過。

我只得努力做一個好家婆，

我家老洛伯他並不曾待差了我。

七年三月一夜譯。

嘗試集

三七

AULD ROBIN GRAY

When the sheep are in the fauld, and
　　the kye at hame,
An a' the world to rest are gane,
The waes o' my heart fa' in showers
　　frae my e' e,
While my gudeman lies sound by me.

Young Jamie lo' ed me weel, and sought
　　me for his bride;
I u saving a croun he had naething
　　else beside;
To m ke the croun a pun l, young Jamie
　　gaed to sea;
And the croun and the pund were baith
　　for me.

He hadna been awa' a week but
    only twa,
When my father brak his arm, and
    the cow was stown awa;
My mother she fell sick, and my
    Jamie at the sea—
And auld Robin Gray came a-courtin'
    me.

My father couldna work, and my
    mother couldna spin;
I toil'd day and night, but their
    bread I couldna win;
Auld Rob maintain'd them baith,
    and wi' tears in his e'e
Said, Jennie, for their sakes,
    O, marry me!

My heart it said nay; I look'd for
    Jamie back;
But the wind it blew high, and
    the ship it was a wreck;
His ship it was a wreck—why
    didna Jamie dee?
Or why do I live to cry, Wae' s
    me?

My father urgit sair: my mother
    didna speak;
But she look'd in my face till
    my heart was like to break;
They gi'ed him my hand, but my
    heart was at the sea;
Sae auld Robin Gray he was gude-
    man to me.

嘗試集

三八

嘗

試

集

I hadna been a wife a week but
    only four,
When mournfu' as I sat on the
    stane at the door,
I saw my Jamie's wraith, for I
    couldna think it he
Till he said, I'm come hame to
    marry thee.

O sair, sair did we greet, and
    muckle did we say;
We took but ae kiss, and I bad
    him gang away;
I wish that I were dead, but I'm
    no like to dee;
And why was I born to say,
    Wae's me?

I gang like a ghaist, and I carena
    to spin;
I dauma think on Jamie, for that
    wad be a sin;
But I'll do my best a gude wife
    aye to be,
Foru auld Robin Gray he is kind
    nto me.
Lady A. Lindsay

三
九

四月二十五夜

嘗試集

吹了燈兒捲開窗幕放進月光滿
地。

對着這般月色，致我要睡也如何
睡！

我待要起來遮着窗兒推出月光，
又覺得有點對他月亮兒不起。

我終日裏講王充仲長統阿里士
多德愛比苦拉斯……幾乎全

四〇

忘了我自己！

多謝你殷勤好月，提起我過來哀
怨過來情思。

我就千思萬想直到月落天明，也
甘心願意！

怕明朝雲密遮天風狂打屋，何處
能尋你！

看花

院子裏開着兩朵玉蘭花三朵月
季花；
紅的花紫的花襯着綠葉映着日
光怪可愛的。
沒人看花花還是可愛但有我看
花花也好像更高興了。
我不看花也不怎麼但我看花時，
我也更高興了。

還是我因爲見了花高興故覺得
花也高興呢？
還是因爲花見了我高興故我也
高興呢？

七年五月。

雪朝集

你莫忘記

嘗試集

此詩初作於六月二十八日。當時我覺得這詩太露了，不值得留稿。近來越看報越覺得這詩有點道理。前天收到太平洋第十期，看了這裏面「刼餘生」一封通信更覺得我這首詩有保存的資格了。因此我把他重新修改了一番做成此稿。

你莫忘記：
這是我們國家的大兵，
逼死了三姨逼死了阿馨，
逼死了你妻子，鎗斃了高升！…
你莫忘記：
是誰砍掉你的手指，

四二

是誰把你老子打成這個樣子！

是誰燒了這一村……

噯喲！……火就要燒到這裏，——

你跑罷莫要同我一齊死……

囘來！……

你莫忘記：

你老子臨死時只指望快快亡

國：

亡給「哥薩克」亡給「普魯

士，——

都可以，——

總該不至——如此……

七年八月二十三夜。

嘗試集

四三

如夢令

去年八月作如夢令兩首：

一

他把門兒深掩，不肯出
來相見。難道不關情怕
是因情生怨休怨休怨
他日憑君發遣。

二

幾次曾看小像，幾次傳

書來往見見又何妨休
做女孩兒相凝想凝想
想是這般模樣！

今年八月與冬秀在京寓
夜話忽憶一年前舊事遂
和前詞成此闋。

天上風吹雲破，
月照我們兩個。

問你去年時，

爲甚閉門深躲？

『誰躲誰躲？

那是去年的我！』

嘗試集

十二月一日奔喪到家

往日歸來繞望見竹竿尖繞望見

吾村，

便心頭亂跳遙知前面老親望我，

含淚相迎。

『來了？好呀』——更無別話，說

盡心頭歡喜悲酸無限情。

偸回首揩乾淚眼招呼茶飯款待

歸人。

四五

今朝，——

依舊竹竿尖，依舊溪橋，——

只少了我的心頭狂跳！——

何消說一世的深恩未報！——

何消說十年來的家庭夢想都一

一雲散烟銷！——

只今日到家時更何處能尋他那

一聲「好呀來了！」

嘗試集

關不住了！（譯詩）

我說「我把心收起，

像人家把門關了，

叫愛情生生的餓死，

也許不再和我為難了。」

但是屋頂上吹來，

一陣陣五月的濕風，

更有那街心琴調

四六

一陣陣的吹到房中。

一屋裏都是太陽光，
這時候愛情有點醉了，
他說，『我是關不住的，
我要把你的心打碎了！

八年二月二十六日譯美
國新詩人 Sara Teasdale
的 Over the Roofs

嘗試集

OVER THE ROOFS

I said, "I have shut my heart,
    As one shuts an open door,
That Love may starve therein
    And trouble me no more".

But over the roofs there came
    The wet new wind of May,
And a tune blew up from the curb
    where the street-pianos play.

My room was white with the sun
    And Love cried out in me,
" I am strong, I will break your heart
    Unless you set me free".

                    Sara Teasdale.

四七

嘗 試 集

希望 （譯詩）

要是天公換了卿和我，

該把這糊塗世界一齊都打破，

要再磨再煉再調和，

好依着你我的安排把世界重新

造過！

八年二月二十八日譯英

人 Fitzgerald 所譯波斯

詩人 Omar Khayyam (d.

1123 A.D.) 的 Rubaiyat

（絕句）詩第一百零八首。

四八

OMAR'S 108TH RUBAI

Ah! Love, could you and I with Him

conspire

To grasp this Sorry Scheme of Things

entire;

Would not we shatter it to bits—

and then

Remould it nearer to the Heart's

Desire

「應該」

我的朋友倪曼陀死後，於今五六年了。今年他的姊妹把他的詩文鈔了一份寄來要我替他編訂。曼陀的詩本來是我喜歡讀的。內中有奈何歌二十首，都是哀情詩，情節狠悽慘，我從前竟不曾見過。昨夜細讀幾遍，覺得曼陀的真情，有時被詞藻遮住不能明白流露。因此我把這裏面的第十五，十六兩首的意思合起來，做成一首白話詩。曼陀少年早死，他的朋友都痛惜他。我當時聽說他是吐血死的，現在讀他的未刻詩詞，才知道他是

為了一種狠為難的愛情境地死的。我這首詩也可以算是表章哀情的微意了。八年三月二十日。

嘗試集　五○

他也許愛我，——也許還愛我——
但他總勸我莫再愛他。
他常常怪我；
這一天他眼淚汪汪的望着我，
說道：「你如何還想着我？
想着我你又如何能對他？
你要是當真愛我，
你應該把愛我的心愛他，
你應該把待我的情待他。」
他的話句句都不錯：——
上帝幫我！
我『應該』這樣做！

送叔永回四川

漢陽杏佛處等他。

叔永走時我曾許他送行
詩後來我的詩沒有做成，
他已在上海上了船不料
那隻船開出吳淞忽然船
底壞了只好開進船廠修
理他寫信告訴我說還要
住幾天我的詩可不能不
做了遂做成這首詩寄到

一

你還記得綺色佳城，我們的「第
二故鄉」：

山前山後多少清奇瀑布，
更添上遠遠的一線湖光；
瀑溪的秋色，西山的落日，
還有那到枕的湍聲夜夜像雨打

秋林一樣？

二

你還記得

我們暫別又相逢，正是赫貞春好？

記得江樓同遠眺雲影渡江來驚

起江頭鷗鳥？

記得江邊石上同坐看潮回浪聲

遮斷人笑？

記得那回同訪友日冷風橫林裏

陪他聽松嘯？

三

這囘久別再相逢，便又送你歸去，

未免太匆匆！

多虧得天意多留你兩日使我做

得詩成相送。

萬一這首詩趕得上遠行人，

多替我說聲「老任珍重珍重」！

八年四月十八日。

一顆星兒

我喜歡你這顆頂大的星兒，

可惜我叫不出你的名字。

平日月明時月光遮盡了滿天星，

總不能遮住你。

今天風雨後悶沉沉的天氣，

我望遍天邊尋不見一點半點光
明，

回轉頭來，

只有你在那楊柳高頭依舊亮晶
晶地。

　　　　八年四月二十五夜。

威權

威權坐在山頂上，

指揮一班鐵索鎖着的奴隸替他
開鑛。

他說：『你們誰敢倔強？
我要把你們怎麼樣就怎麼樣！』

奴隸們做了一萬年的工，
頭頸上的鐵索漸漸的磨斷了。

他們說：『等到鐵索斷時，
我們要造反了』

奴隸們同心合力，
一鋤一鋤的掘到山腳底。

山腳底挖空了，

威權倒撞下來活活的跌死！

八年六月十一夜。

小詩

也想不相思，
可免相思苦。
幾次細思量，
情願相思苦！

有一天我在張慰慈的扇子上寫了兩句話：「愛情的代價是痛苦，愛情的方法是要忍得住痛苦」。陳獨秀引我這兩句話，做了一條隨感錄（每週評論二十五號）加上一句按語道：「我看不但愛情如此，愛國愛公理也都如此。」這條隨感錄出版後三日，獨秀就被軍警捉去了，至今還不曾出來我又引他的話，做了一條隨感錄，

嘗 試 集

五五

（每週評論二十八號。）

後來我又想這個意思可

以入詩，遂用生查子詞調，

做了這首小詩。

八年六月二十八日。

自題藏暉室箚記十五冊

彙編

從前有怡蓀愛你們，

把你們殷勤收起，深深藏好。

於今怡蓀死了，誰還這樣看待你

們？

我怕你們拆散了，故叫釘書的把

你們裝好。

五六

你們不是我一個人做的。

因爲怡蓀愛看你們，誇獎你們，

故你們是我爲怡蓀做的，——

是我和怡蓀兩個人做的。

怡蓀死了，你們也停止了。

可憐我的怡蓀死了！

八年七月三十日。

嘗試集

我的兒子

我實在不要兒子，

兒子自已來了。

「無後主義」的招牌，

於今掛不起來了！

譬如樹上開花，

花落偶然結果。

那果便是你，

五七

那樹便是我。
樹本無心結子，
我也無恩於你。

但是你既來了，
我不能不養你教你，
那是我對人道的義務，
並不是待你的恩誼。

將來你長大時，
莫忘了我怎樣教訓兒子：
我要你做一個堂堂的人，
不要你做我的孝順兒子。

八年七月三十日。

五八

樂觀

每週評論於八月三十日
被封禁國內的報紙狠多
替我們抱不平的我做這
首詩謝謝他們。

一

「這柯大樹狠可惡，
他礙着我的路！

來！
快把他斫倒了，
把樹根也掘去——
哈哈！好了！」

二

大樹被斫做柴燒，
樹根不久也爛完了。
斫樹的人狠得意，
他覺得狠平安了。

三

但是那樹還有許多種子，——

狠小的種子裹在有刺的殼裏，

上面蓋着枯葉，

葉上堆着白雪，

狠小的東西，誰也不注意。

四

雪消了，

枯葉被春風吹跑了。

那有刺的殼都裂開了，

每個上面長出兩瓣嫩葉，

笑迷迷的好像是說：

「我們又來了！」

五

過了許多年，

壩上田邊都是大樹了。

辛苦的工人在樹下乘涼；

聰明的小鳥在樹上歌唱——

那斫樹的人到那裏去了?

八年九月二十夜。

上山

『努力! 努力!

努力望上跑』

拚命的爬上山去。

汗也不揩,

我頭也不回,

『半山了! 努力!

努力!

六一

努力望上跑

嘗試集

上面已沒有路,

我手攀着石上的青藤,

脚尖抵住岩石縫裏的小樹,

一步一步的爬上山去。

『小心點! 努力!

努力望上跑!』

樹椿扯破了我的衫袖,

荊棘刺傷了我的雙手,

我好容易打開了一線路爬上山

去。

『好了!上去就是平路了!

努力! 努力望上跑!』

六三

上面果然是平坦的路，

有好看的野花，

有遮陰的老樹。

但是我可倦了，

衣服都被汗濕遍了，

兩條腿都軟了。

我在樹下睡倒，

聞着那撲鼻的草香，

便昏昏沉沉的睡了一覺。

睡醒來時，天已黑了，

路已行不得了，

「努力」的喊聲也滅了。……

猛省！猛省！

我且坐到天明，

明天絕早跑上最高峯，
去看那日出的奇景！

八年九月二十八夜。

嘗試集

六四

週歲——祝晨報一年紀念

唱大鼓的唱大鼓，
變戲法的變戲法。
彩棚底下許多男女賓，
擠來擠去熱鬧煞！

主人抱出小孩子——
這是他的週歲——
我們大家圍攏來，

給他開慶祝會。

有的祝他多福，
有的祝他多壽。
我也擠上前來，
鄭重祝他奮鬥。

「我賀你這一杯酒，
恭喜你奮鬥了一年；

恭喜你戰勝了病鬼，
恭喜你平安健全」

「我再賀你一杯酒，
祝你奮鬥到底：
你要不能戰勝病魔，
病魔會戰勝了你！」

八年十一月二十七日。

一顆遭劫的星

北京國民公報響應新思
潮最早遭忌也最深今年
十一月被封主筆孫幾伊
君被捕十二月四日判決，
孫君定監禁十四個月的
罪。我為這事做這詩。

熱極了！

更沒有一點風！

那又輕又細的馬纓花鬚

動也不動一動！

好容易一顆大星出來；

我們知道夜涼將到了：——

仍舊是熱仍舊沒有風，

只是我們心裏不煩躁了。

六六

忽然一大塊黑雲

把那顆清涼光明的星圍住；

那塊雲越積越大

那顆星再也衝不出去！

烏雲越積越大，

遮盡了一天的明霞；

一陣風來，

拳頭大的雨點淋漓打下」

大雨過後，

滿天的星都放光了。

那顆大星歡迎着他們，

大家齊說「世界更清涼了」

八年十二月十七日。

嘗　試　集

六七

示威？ （再版增）

嘗試集

老子說：「民不畏死奈何
以死懼之？」這話說了二
千五百年，到如今還有殺
人先遊街示眾的事！

攔住了車馬行人，
排列在總司令部的門口，
威武的軍人，鮮明的刺刀，

「過不去！打交民巷走！」

裏面一輛露天的大車，
裝着兩三個囚犯。
外面行人墊起腳尖，
伸直了脖子看！

一個年輕的犯人，
──狠清秀的相貌──

竟站不住了，
身子往後跌倒。

一個中年的犯人
望着那暈倒的人冷笑；
他忽然很悲壯的唱起來，
仿彿是說道：

「俺做事一人擔當，

怕死的不算好漢！
再等俺二十年，
俺又是一條好漢！」

灰色的軍衣黃色黑色的軍衣，
——人數數不清楚——
明晃晃的刺刀威武的軍人，
擁護着那兩三個人遊街去。

醫武線

六九

那和氣的警察趕開行人：

「上天橋瞧去」

看的人也彼此招呼：

「喒們天橋瞧熱鬧去。」

民國九年一月

嘗試集

紀夢 （再版增）

夢裏得他書，

稱呼大客氣：

上面稱先生，

自己稱名字。

我初頗介意，

轉念還喜歡。

有書終勝無，

七〇

遠道得書難。

老友久離別，
相思不消說。
三年夢一書，
醒來書也無。

九，六，十。

嘗試集

蔚藍的天上　（再版增）

蔚藍的天上，
這裏那裏浮着兩三片白雲；
暖和的日光
斜照着一層一層的綠樹，
斜照着黃澄澄的琉璃瓦：——
只有那望不盡的紅牆
襯得住這些顏色！

七一

下邊，
一湖新出水的荷葉，
在涼風裏笑的狂抖。
那黝綠的湖水
也吹起幾點白浪，
陪着那些笑彎了腰的綠衣女郎
微笑！

　　　九，六，二三。

嘗試集

七二

許怡蓀　有序　（再版增）

七月五日我與子高過中
正街，這是死友許怡蓀的
住處。旁晚與諸位朋友遊
秦淮河，船過金陵春回想
去年與怡蓀在此吃夜飯，
子高肇南都在座，我們開
窗望見秦淮河那是我第
一次見此河今天第二次

詩，以寫吾哀。

見秦淮，怡蓀死已一年多
了！夜十時我回寓再過中
正街淒然墮淚。人生能得
幾個好朋友況怡蓀益我
最厚愛我最深期望我最
篤！我到此四日竟不忍過
中正街，今日無意中兩次
過此追想去年一月之夜
話那可再得歸寓後作此

怡蓀！
我想像你此時還在此！
你跑出門來接我，
我知道你心裏歡喜。

怡蓀！
我想你此時還在此！
你跑出門來接我，
我知道你心裏歡喜。

你誇獎我的成功，
我也愛受你的誇獎

韃狀鮑

七三

因爲我的成功你都有份，
你誇獎我就同我誇獎你一樣。

我把一年來的痛苦也告訴了你，
我覺得心裏怪輕鬆了；
因爲有你分去了一牛，
這擔子自然就不同了。

我們談到牛夜，

牛夜我還捨不得就走。
我記得你臨別時的話：
「適之，大處着眼小處下手！」……

車子忽然轉灣，
打斷了我的夢想。
怡蓀！
你的朋友還同你在時一樣！

九，七，五。

一九二七

外交 （再版增）

十點鐘了，
有點風了，
我打南京鼓樓下過。
丫！鼓樓的牆頭上
那裏來的這許多燈火？
原來是七八個火把，
幾盞破燈籠，
照著許多泥水匠，

七三

在那裏打夜工，

塗補那鼓樓上的紅牆！

我們很感謝美國的議員閣，

你們這一次來遊，

使霉爛的南京也添上一些兒新氣象！

九，八，七。

一笑 （再版增）

十幾年前，

一個人對我笑了一笑。

我當時不懂得什麼，

只覺得他笑的很好。

那個人不知後來怎樣了，

只是他那一笑還在：

我不但忘不了他，

還覺得他越久越可愛。

我借他做了許多情詩，
我替他想出種種境地：
有的人讀了傷心，
有的人讀了歡喜。

歡喜也罷傷心也罷，
其實只是那一笑。

舊歡集

我至今還不曾尋着那笑的人，
但我很感謝他笑的眞好。

九，八，一二。

女詩

自序

胡適既已自誓將致力於其所謂『活文學』者，乃刪定其六年以來所為文言之詩詞寫而存之，遂成此集。集名之曰去國斷自庚戌也昔者譚嗣同自名其詩文集曰『三十以前舊學第幾種』今余此集亦可謂之六年以來所作『死文學』之一種耳。

集中詩詞一以年月編纂欲稍存文字進退及思想變遷之跡焉爾。

民國五年七月。

自　序

一

去國行 二章

一

木葉去故枝遊子將遠離故人與
昆弟送我江之湄執手一爲別慘
愴不能辭從茲萬里役況復十年
歸！金風正蕭瑟別淚沾客衣丈夫
宜壯別而我獨何爲？

二

扣舷一凝睇一髮是中原揚冠與

汝別，征衫有淚痕高邱豈無女猺，
獮百鬼蹲蘭蕙日荒穢羣盜滿國
門。搴裳渡重海何地招汝魂揮淚
重致詞祝汝長壽年！

庚戌秋。

去國集

二

翠樓吟

霜染寒林風摧敗葉天涯第一重
九。登臨山徑曲聽萬壑松濤驚吼。
山前山後更何處能尋黃花菜酒？
沉吟久溪橋歸晚夕陽遙岫。　應
念鱸膾蓴羹祗季鷹羈旅此言終
貧。故園三萬里但夢裏桑麻柔茂。
最難回首願丁令歸來河山如舊！
今何有，倚樓遊子淚痕盈袖。

水龍吟

綺色佳秋暮

無邊橡紫檞黃更青青映松無數。
平生每道一年佳景莫如秋暮傾
倒天工染渲秋色清新如許使詞
人憨絕殷殷私祝：「秋無恙秋常
住」　悵惆都成虛願有西風任
情相妒蕭颸木末亂楓爭墜紛紛

如雨。風捲平蕪淺黃新赭，一時飛

舞。且徘徊陌上溪頭黯黯看秋歸

去。

元年十一月初六日。

耶穌誕節歌

冬青樹上明纖炬，冬青樹下謹兒

女高歌頌神歌且舞。朝來阿母含

笑語：『兒輩馴好神佑汝籠前懸

襪青絲縷籠突神下今夜午朱衣

高冠鬚眉古神之來下不可覩早

睡慎毋干神怒』。明朝襪中實錫

犲有蠟作鼠紙作虎夜來一一神

所予。明日舉家作大酺殺雞大於

全 國 集

三

去國集

一歲殺堆盤肴果難悉數食終腹
鼓不可俯。歡樂勿忘神之祜上帝
之子天下主。

二年十二月二十六日。

大雪放歌

四

任叔永作歲莫雜詠詩，余
謂叔永『君每成四詩當
以一詩奉和』。後叔永果
以四詩來，皆大佳。其狀冬
日景物甚盡而工非下走
所可企及。徒以有宿約不
可追悔因作此歌呈叔永。

往歲初冬雪戴塗今年聖誕始大
雪。天工有意弄奇詭積久迸發勢
益烈。夜深飛屑始叩窗侵晨積絮
可及膝。出門四顧喜欲舞瓊瑤十
里供大閱。小市疏林迷遠近山與
天接不可別。眼前諸松耐寒歲虬
枝雪壓垂欲折。窺人松鼠寒可憐，
覓食凍雀跡亦絕毛衣老農朝入
市，令令瘦馬駕長橇道逢相識遙

告語，「明年麥子禾應劣」。路旁
謹呼小兒女冰糵鐵屐手提挈昨
夜零下二十度，湖面凍合堅可滑。
客子踏雪來復去朔風翦膚手皴
裂。歸來烹茶還賦詩短歌大笑忘
日昳。開窗相看兩不厭清寒已足
消內熱百憂一時且棄置吾輩不
可貪此日。

二年十二月

久雪後大風寒甚作歌

去國集

夢中石屋壁欲搖夢回窗外風
怒號澎湃若擁萬頃濤。
侵晨出門凍欲僵冰風挾雪捲
地狂，齧肌削面不可當。
與風寸步相撐支，呼吸梗絕氣
力微，漫漫雪霧行徑迷。
立沐遮道厚寸許，每虞失足傷
折股，旋看落幅凌空舞。

落幅狠狠裯猶可，未能捷足何
嫌跛。抱頭勿令兩耳墮
入門得暖寒氣蘇，隔窗看雪如
畫圖，背爐安坐還讀書。
明朝日出寒雲開風雪於我何
有哉！待看雪盡春歸來！

六

三年正月。

哀希臘歌

The Isles of Greece

英國詩人裴倫所著。裴倫

George Gordon Byron 生

於西歷一七八八年，死於

一八二四年。死時纔三十

六歲，而著作等身詩名蓋

世亦近代文學史上一怪

傑也。其平生行事詳諸家

歐羅巴

專傳，不復述。

此歌凡十六章見裴倫所

著長劇『唐渾』 Don

Juan 中。託爲希臘詩人弔

古傷今之辭，以激勵希人

愛國之心其詞至慷慨哀

怨。『唐渾』一劇讀者今

已甚寡獨此詩傳誦天下。

當希臘獨立之師之興也，

七

去國行

裴倫恥其僅以文字鼓舞
希人，遂毀家助餉渡海投
獨立軍自効未及與戰而
死。巴爾幹半島之人至今
追思之不衰今希臘已久
脫突厥之羈絆。近年以來，
尤能自振拔為近東大國。
雖其文明武功或猶未逮
當日斯巴達雅典之盛然

八

裴倫夢想中獨立自主之
希臘則已久成事實惜當
年懍慨從軍之詩人不及
生見之耳。
裴倫少年負盛名頗不修
細行，風流自恣為英倫社
會所不容逸去國遠游，不
復歸其晚年，以助希臘獨
立而死亦可為善自懺悔

者也。今之後生掇拾裴倫一二浮豔綺麗之詞，便以裴倫自命豈真知裴倫者哉。

此詩之入漢文、始於梁任公之「新中國未來記」小說。惟任公僅譯一二兩章。其後爲君武譯其全文，刊於「新文學」中後蘇曼殊復以五言古詩譯之。民國二年吾友張耘來癸洲留學，攜有馬蘇爾家譯本。余因得盡讀之。頗嫌君武之訛而曼殊失之晦。訛則失真晦則不達均非善譯者也。當時余許張君爲真譯此詩久而未能踐諾。三年二月一夜以四小

時之力，譯之既成復改削

數月始成此本更爲之注

釋以便讀者蓋詩中屢用

史事，非注不易領會也。

裴倫在英國文學上僅可

稱第二流人物。然其在異

國之詩名，有時竟在蕭士

比彌兒敦之上此不獨文

以人傳也蓋裴倫爲詩富

於情性氣魄而鑄詞鍊句，

顧失之粗豪其在原文疵

瑕易見。而一經翻譯則其

詞句小疵，往往爲其深情

奇氣所掩讀者僅見其所

長而不覺其所短矣裴倫

詩名之及於世界此亦其

一因也。

五年五月十一夜。

一〇

哀國歌

一

嗟汝希臘之羣島兮，
實文教武術之所肇始。
詩媛沙浮嘗詠歌於斯兮，
亦羲和素娥之故里。
令惟長夏之驕陽兮，
紛燦爛其如初。
我徘徊以憂傷兮，
哀舊烈之無餘！

The Isles of Greece

I

The isles of Greece, the isles of Greece!
　　Where burning Sappho loved and sung,
Where grew the arts of war and peace,
　　Where Delos rose, and phoebus sprung!
Eternal summer gilds them yet,
But all, except the sun, is set.

沙浮古代女詩人。生西歷前六百年。Phoebus 日神也。Delos 地名。相傳日神月神皆生於此。此與日神並舉當指月神也。

二

哀希臘

悠悠兮我何所思？
荷馬兮阿難。
慷慨兮歌英雄，
纏綿兮敘幽歡。
享盛名於萬代兮，
獨岑寂於斯土；
大聲起乎仙島之西兮，
何此邦之無語。

II

The Scian and the Teian muse,
　The hero's harp, the lover's lute,
Have found the fame your shores refuse,
　Their place of birth alone is mute
To sounds which echo further west
Than your sires' "Islands of the Blest."

荷馬 Homer 生
於 Scios 故曰 Scian
阿難 Anacreon 生
於 Teos 故曰 Teian
雄，阿難之詩叙兒
荷馬之詩歌英
女，寶開二大詩派
云。
神話，西海盡頭，
有仙島神仙居之。
此蓋用以指西歐
諸口由國或專指
英倫耳。

二三

三

馬拉頓後兮山高，

馬拉頓前兮海號。

哀時詞客獨來游兮，

猶夢希臘終自主也；

指波斯京觀以爲正兮，

吾安能奴僇以終古也！

法國集

III

The mountains look on Marathon-
　　And Marathon looks on the sea;
And musing there an hour alone,
　　I dream'd that Greece might still be free;
For standing on the Persians' grave,
I could not deem myself a slave.

西歷前四百九
十年，波斯人再侵，
雅與人大敗之於
拉馬頓。

一三

彼高崖何巉嶢兮，
俯視沙拉米之濱；
有名王嘗踞坐其巔兮，
臨大海而點兵。
千檣兮照海，
列艦兮百里。
朝點兵兮何紛紛兮，
日之入兮無復存兮！

四

去國集

- - - - - - - - - - - - - - - -

IV

A king sate on the rocky brow
　　Which looks o'er sea-born Salamis;
And ships, by thousands, lay below,
　　And men in nations;– all were his!
He counted them at break of day–
And when the sun set, where were they?

一 馬拉頓之敗波
人恥之後十年—
四八〇年—新王
Xerxes大舉征希
臘，大艦千二百艘，
小舟三千艘軍威
之盛為古史所未
有。雅典人禦之戰
於沙拉米波師大
敗。失巨艦無算餘
艦省遁明年復為
斯巴達援師所敗。

五

往烈兮難追；
故國兮汝魂何之？
俠子之歌久銷歇兮，
英雄之血難再熱兮，
古詩人兮高且潔兮；
琴荒瑟老臣精竭兮。

去國集

V

And where wer   ? and where art thou,
   My country? o   voiceless shore
The heroic lay is tuneless now—
   The hero'c bosom beats no more!
And must thy lyre, so long divine,
Degenerate into hands like mine?

一五

六

去國集

雖舉族今奴虜兮，

豈無遺風之猶在？

吾慨慷以悲歌兮，

耿憂國之磈磊。

吾惟餘赧顏爲希人羞兮，

吾惟有淚爲希臘灑。

~~~~~~

VI

'Tis something in the dearth of fame,
  Though link'd among a fetter'd race,
To feel at least a patriot's shame,
  Even as I sing, suffuse my face;
For what is left the poet here?
For Greeks a blush-- for Greece a tear.

一六

七

徒愧賴曾何益兮，
嗟雪涕之計拙；
獨不念我先人兮，
爲自由而流血？
吾欲訴天閽兮，
還我斯巴達之三百英魂兮！
尚令百一存兮，
以再造我瘦馬披離之關兮！

去國集

VII

Must we but weep o'er days more blest?
　　Must we but blush?—Our fathers bled,
Earth! render back from out thy breast
　　A remnant of our Spartan dead!
Of the three hundred grant but three,
To make a new Thermopylae!

瘦馬披離，關名。

西歷前四百八十
年希臘列國協商
以此爲列國樞紐。
及波斯軍來侵斯
巴達勇士三百人
守此。關破三百人
皆死之。

一七

去國集

八

沉沉希臘，猶無聲兮；
惟聞鬼語作潮鳴兮。
鬼曰：「但令生者一人起兮，吾曹
雖死終陰相爾兮」！
嗚咽兮鬼歌，
生者之瘖兮奈鬼何！

VIII

What, silent still? and silent all?
　　Ah! no;- the voices of the dead
Sound like a distant torrent's fall,
　　And answer, "Let one living head,
But one arise,- we come, we come!"
'Tis but the living who are dumb.

一八

九

吾曉曉兮終徒然！
已矣兮何言
且為君兮彈別曲，
注美酒兮盈尊！
姑坐視突厥之跋扈兮，
聽其宰割吾胞與兮，
君不聞門外之簫鼓兮，
且赴此貝凱之舞兮！

去國集

IX

In vain- in vain: strike other chords;
Fill high the cup with Samian wine!
Leave battles to the Turkish hordes!
And shed the blood of Scio' s vine.
Hark! rising to the ignoble call-
How answers each bold Bacchanal!

原文第三四句
疑指突厥人屠殺
辜訶城事此城即
詩人荷馬生長之
地也。
貝凱之舞者,希
人宗教儀節之一
種,巫覡舞禱男女
聚樂以娛神焉。

一九

汝猶能霹靂之舞兮，
霹靂之陣今何許兮？
舞之靡靡猶不可忘兮，
奈何獨忘陣之堂堂兮？
獨不念先人佉盧之書兮，
寧以遺汝庸奴兮？

十

去國集

X

You have the Pyrrhic dances yet;
　Where is the Pyrrhic pha'anx gone?
Of two such less rs, why forget
　The nobler and the manlier one?
You have letters Cadmus gave—
Think ye he meant them for a slave?

二〇

霹靂 Pyrrhus，為 Epirus 之王嘗
壓立戰功，此舞即
其所作戰陣之樂。佉
盧者神話相
傳為腓尼西之王，
遊希臘之梯西部，
與體臝居龍而拔
其齒種之皆成勇
士，遂為其地之始
祖。佉盧自腓尼西
輸入字母，遂造希
臘文。

十一

懷古兮徒煩寃，
注美酒兮盈尊！
一醉兮百憂泯！
阿難醉兮歌有神。
阿難蓋代詩人兮，
信嘗事暴君兮；
雖暴君兮，
猶吾同種之人兮。

去國集

阿難見任於希
王 Polycrates 古
之暴主也，

XI

Fill high the bowl with Samian wine!
　　We will not think of themes like these!
It made Anacreon's song divine;
　　He served-but served Polycrates-
A tyrant; but our masters then
Were still, at least, our countrymen.

二

三

去國集

十二

吾所思兮，
米爾低兮，
武且休兮，
保我自由兮。
吾撫昔而涕淋浪兮，
遺風誰其嗣昌？
誠能再造我家邦兮，
雖暴主其何傷？

XII

The tyrant of the Chersonese
    Was freedom's best and bravest friend;
That tyrant was Miltiades!
    Oh! that present hour would lend
Another despot of the kind!
Such chains as his were sure to bind.

一二

馬拉頓之役，米
之功最大。此章懷
古而歎今之無人
也。

按此章及上章
惜憤極之詞。其時
民族主義方大熾，
故詩人於種族一
方面尤再三言之。
民權之說幾為所
掩讀者不可驟謂
裴倫初不言民權
也。

十三

注美酒兮盈杯，
悠悠兮吾懷！
湯湯兮白階之岸，
崔巍兮修里之崖，
吾陀離之民族兮，
實肇生於其間；
或猶有自由之種兮，
歷百規而未殘。

法圖轍

XIII

Fill high the bowl with Samian wine!
　　On Suli's rock, and Parga's shore,
Exists the remnant of a line
　　Such as the Doric mothers bore;
And there, perhaps, some seed is sown,
The Heracleidan blood might own.

三三

希人分兩大族，
一為伊俄霤族（
Ionians）一為陀
離族（Dorisna），
陀離族稍後起起
於北方，故有白階
修里云云。修里山
在西北部，希人獨
立之役，修里之人
最有功云。

去國集

十四

法蘭之人烏可託兮，
其王貪狡不可度兮。
所可託兮希臘之刀；
所可任兮希臘之豪。
突厥懍兮，
拉丁狡兮，
雖吾盾之堅兮，
吾何以自全兮？

XIV

Trust not for freedom to the Franks,
They have a king who buys and sells,
In native swords and native ranks,
The only hope of courage dwells:
But Turkish force, and Latin fraud,
Would break your shield, however broad.

二四

希臘之謀獨立也，始於十九世紀初葉。其時『神聖同盟』之約墨猶未乾，歐洲君主相顧色變以為民權之餕復張矣，故深忌之，或且陰沮尼之，法尤甚焉此詩之法尤甚焉此詩之所以戒希臘人士也。

十五

注美酒兮盈杯！

美人舞兮低徊！

眼波兮盈盈，

一顧兮傾城；

對彼美兮，

淚下不能已兮；

子兮子兮，

胡爲生兒爲奴婢兮！

去國集

二一五

XV

Fill high the bowl with Samian wine!
　Our virgins dance beneath the shade—
I see their glorious black eyes shine;
　But gazing on each glowing maid,
My own the burning tear-drop laves,
To think such breasts must suckle slaves.

十六

哀希臘

置我乎須寧之巖兮，
狎波濤而為伍；
且行吟以悲嘯兮，
惟潮聲與對語；
如鴻鵠之逍遙兮，
將於是焉老死：
奴隸之國非吾土兮——
碎此杯以自矢！

XVI

Place me on Sunium's marbled steep,
　Where nothing, save the waves and I,
May hear our mutual murmurs sweep;
　There, swan-like, let me sing and die:
A land of slaves shall ne'er be mine—
Dash down yon cup of Samian wine!

游影飛兒瀑泉山作

影飛兒瀑泉，Enfield Falls

去綺色佳約八英里民國
三年五月十一日吾往游
焉。同游者四人美國穆休
爾女士蔣生女士密能君，
南非洲赫登輝君也。

叔永謂此詩末段命意大
似王介甫褒禪山記細思
之，果然三年五月十三日。

春深百卉發羈人思故園良友知
我懷約我遊名山清晨集伴侶朝
日在林端緣溪入深壑巖嶺不可
捫道狹露未乾新葉吐奇芬鳥歌
破深寂松鼠驚避人轉石堆作梁，
將扶度淺灘危巖不容趾籐根粗
可攀徑險境愈幽彷彿非人間探

奇未及午驚濤到耳喧，轟聲下前
澗，飛瀑當我前，舉頭幅欲墮了不
見其巔奔流十數折，折折成珠簾。
澎湃激崖石飛沫作霧翻兩旁峯
映雲透迤相迴環，譬之絕代姿左
右圍鬟鬢又如葉護花掩映成奇
觀。對此不能去且復傍水餐渴來
接流飲冷冽清肺肝。坐久忘積暑，
更上窮水源山石巉可削履穿欹

到跟攀援垂及頂俯視卑羣樛天
風吹我衣長嘯百憂寬歸途向山
脊稍稍近人煙板橋通急澗石磴
鑿山根，從容出林麓歸來日未曛。
茲遊不可忘中有至理存：佳境每
深藏不與淺人看，勿惜幾兩屐何
畏山神慳要知尋山樂不在花鳥
妍。冠蓋看山者皮相何足論作詩
紀勝游，持以謝嬋娟。

自殺篇

去國集

任叔永有弟季彭，居杭州。壬癸之際國事糜爛季彭憂憤不已遂發狂一夜潛出投葛洪井死。叔永時在美洲，追思逝者乃掇季彭生時所寄書成一集而係以詩。有『何堪更發舊書讀腸斷脊令風雨聲』之句。季彭最後寄諸兄詩，有『原上脊令風雨聲』之語，故叔永詩及之。叔永索余題辭集上遂成此篇凡長短五章。三年七月七日。

叔永至性人，能作至性語脊令
風雨聲，使我心愁苦。
我不識賢季焉能和君詩頗有

二九

去國集

傷心語試為君陳之。

叔世多哀音，危國少生望。此為
恆人言，非吾輩所尚。奈何賢哲人，
平昔志高抗，一朝受挫折，神氣遽
沮喪？下士自放棄，朱樓醉春釀。上
士羞獨醒，一死謝諸妄。三閭逮賢
季，苦志都可諒。其愚亦莫及，感此
意慘愴。

我聞古人言，『艱難惟一死。』

我獨不謂然，此欺人語耳。盤根與
錯節，所以見奇士。處世如臨陣，無
勇非孝子。雖三北何傷？一戰待雪
恥。殺身豈不易？所志不止此。生材
必有用，何忍付蟲蟻？枯楊會生梯，
河清或可俟。但令一息存，此志未
容已。

春秋誅賢者，我以此作歌。茹鯁
久欲吐，未敢避譴訶。

送許肇南先生歸國

秋風八月送殘暑，天末忽逢故人
許，烹茶斗室集吾侶高談奕奕忘
夜午。評論人物屈指數，爽利似聽
蕉上雨明辨如聞老吏語君家汝
南今再覯慷慨爲我道出處，不爲
良相爲良賈願得黃金堆作塢遍
交天下奇男女。云：君咋書某君冊子
百萬交盡天下 云『願得黃金三
美人名士。』 自言『國危在貧

饞餓孳未可任艱鉅能令通國無
空庾自有深夜不閉戶。』又言『一
吾曹國之主責人無已亦無取。宜
崇令德相夾輔誓爲宗國去陳腐。
譬如築室先下礎綱領既具百目
舉。』我聞君言如飲醇，振衣欲起
爲君舞君歸且先建旗鼓他日歸
來隸君部。

三年八月十四日。

墓門行

四月十二日，讀紐約晚郵
報有無名氏題此詩於屋
斯託克North Woodstock,
N.H.村外叢塚門上詞旨
悽惋，余且讀且譯之，逯成
此詩。已付吾友叔永令刊
季報中矣。一日偶舉此詩
告吾友客鬱女士Marion

三二

D. Crane。女士自言有友
克琴君 Arthur Ketchum
工詩又嘗往來題詩之地，
此詩或出此君之手亦未
可知。余因囑女士為作書
詢之。後數日女士告我，新
得家書附有前所記之詩，
乃別自一報剪下者附注
云：「此詩乃克琴君所作」

女士所度果不謬,余亦大
喜。因作書並寫譯稿寄之,
遂訂交焉。此亦一種文字
因緣,不可不記因記之以
為序四年四月十二日。

伊人寂寂而長眠兮,
任春與秋之代謝。
野花繁其弗賞兮,

去國集

亦何知冰深而雪下?

水潺湲兮,
長楊垂首而聽之。
鳥聲喧兮。
好音誰其應之?

風鳴咽而怒飛兮,
陳死人安所知兮?

三三

和平之神，
穆以慈兮。
長眠之人，
於斯永依兮。

三四

Such quiet has come to them,
　　The Springs and Autumns pass,
Nor do they know if it be snow
　　or daisies in the grass.

All day the birches bend to hear
　　the river's undertone;
Across the hush a fluting thrush
　　Sings evensong alone.

But down their dream there drifts no sound,
　　The winds may sob and stir.
On the still breast of Peace they rest—
　　And they are glad of her.

　　　　　By Arthur Ketchum.

滿庭芳

楓翼敲簾楡錢鋪地柳棉飛上春
衣落花時節隨地亂鶯啼枝上紅
襟軟語商量定掠地雙飛何須待，
銷魂杜宇勸我不如歸？ 歸期今
倦數。十年作客已慣天涯況墾深
多瀑湖麗如斯。多謝殷勤我友能
容我傲骨狂思頻相見微風晚日，
指點過湖堤。

四年六月十二日。

（註）紅襟者鳥名英文 Rob-
in 俗名 Redbreast。
楓翼者楓樹子皆有薄
翅包之其形似蜻蜓之翅。
凡此類之種子，如楡之錢，
楓之翼皆以便隨風遠颺
也。

法國集

三五

水調歌頭 今別離 有序

去國集

民國四年七月二十五夜，月圓疑是陰曆六月十五夜也。余步行月光中賞玩無厭，忽念黃公度今別離第四章，以夢詠東西兩半球晝夜之差，其意甚新。於四章之中此爲最佳矣。又念此意亦可假月寫之。杜工部：「今夜鄜州月，閨中只獨看。」白香山云：「共看明月應垂淚，一夜鄉心五處同。」蘇子瞻云：「但願人長久，千里共嬋娟！」皆古別離之月也。今去國三萬里，雖欲與國中骨肉歡好共此嬋娟之月色安可得哉。感此成英文小詩

三六

二章復自譯之以爲今別
離之續。人境廬有知，或當
笑我爲狗尾之續貂耳。

許，誰與我同看料得今宵此際伴
汝鷓鴣聲裏驕日欲中天簾外繁
花影，邨上午炊烟。

四年八月三日。

「但願人長久千里共嬋娟！」我
歌坡老佳句，囘首十年前照汝黃
山之下照我春申古渡同此月團
欒皎色映征袖輕露溼雲鬟。今
已矣空對此月新圓淸輝脈脈如

去圓集

三七

去國集

臨江仙

隔樹溪聲細碎迎人鳥唱紛譁。穿幽徑趁溪斜我和君拾甚君替我簪花。　更向水濱同坐，驕陽有樹相遮語深渾不管昏鴉此時君與我，何處更容他？

四年八月二十四日。

三八

將去綺色佳叔永以詩贈別。作此奉和郎以留別。

橫濱港外舟待發倘徉我方坐斗室，檸檬杯空菸捲殘，忽然人面過眼瞥疑是同學巴縣任，細看果然慰飢渴扣舷短語難久留惟有相思耿胸臆明年義師起中原逐為神州掃胡羯遙聞同學諸少年乘時建樹皆宏達中有我友巴縣任，

翩翩書記大手筆策勵不樂作議
員，願得西乞醫國術。遠來就我歡
可知三年卒卒重當別，幾人八年
再同學？我與君尚從密往往論
文忘晨映，時復議政同哽咽相知
益深別更難贈我新詩語眞切。君
期我作瑪志尼，我祝君爲倭斯轍。
國事今成遍體瘡治頭治脚俱所
急。勉之勉之我友任歸來與君同

寥力。

四年八月二十九夜。

（注）瑪志尼 Mazzini 意大利
文學家世所稱「意大利
建國三傑」之一也。
倭斯轍 Wilhelm Ost-
wald 德國科學大家今猶
生存。

沁園春

去國集

將之紐約，楊杏佛以詞送行。有「三稔不相見，一笑遇他鄉。暗驚狂奴非故」收束入名場」之句。實則杏佛當日亦狂奴耳。其詞又有「欲共斯民溫飽」之語。余既喜吾與杏佛今皆能放棄故我，重修學立身，又壯其志願之宏故造此詞奉答即以留別。

四〇

朔國秋風，汝遠東來，過存老胡。正相看一笑，使君與我，春申江上兩箇狂奴客裏相逢，殷勤問字，不似當年舊酒徒。還相問：「豈胸中塊壘，今盡消乎」 君言：「是何言歟！祇壯志新來與昔殊。願乘風役

電，戛天縮地，顧思瓦特，不羨公輸。

戶有餘糧人無菜色此業何嘗屬

腐儒？吾狂甚欲斯民溫飽此意何

如？」

四年九月二日。

（註）瓦特 James Watt，即發

明汽機者。

孟圖集

四一

送梅觀莊往哈佛大學

一

吾聞子墨子有言：「為義譬若築

牆然能實壤者且實壤能築者築

掀者掀」。〔耕柱篇語掀本作，欣依畢沅說改。〕

謀國亦復爾待舉之事何紛紛。吾曹

賴人各盡所職，未可責備於一人。

同學少年識時務學以致用為本

根。爭言「治病須對症今之大患

弱與貧但祝天生幾牛敦還乞千
百窮兒文輔以無數愛迭孫便教
國庫富且殷，更無誰某婦無褌乃
練能罷百萬軍誰其師之拿破崙。
恢我土宇固我藩百年奇辱一朝
翻。」

二

凡此羣策豈不偉？有人所志不在
此。卽如吾友宣城梅，自言「但願

作文士。舉世何妨學倍根我獨遠
慕蕭士比。」梅君少年好文史近
更摭拾及歐美新來爲文頗諧詭，
能令公怒令公喜昨作檄討夫已
氏儻令見之魄應讋又能虛心不
自是，一稾十易猶未已。梅君梅君
毋自鄙。神州文學久枯餒百年未
有健者起。新潮之來不可止，文學
革命其時矣吾輩勢不容坐視且

復號召二三子鞭箠驅除一車鬼，再拜迎入新世紀以此報國未云菲，縮地裁天差可儗梅君梅君母自鄙。

三

作歌今送梅君行，狂言人道臣當烹。我自不吐定不快，人言未足為重輕。居東何時遊康可，為我一弔愛謀生更弔霍桑與索虜：此三子者皆崢嶸應有「烟士披里純」為君奚囊增瓊英。

四年九月十七日。

（註）此詩凡用外國字十一：牛敦Newton英國科學家。客兒文Kelvin英國近代科學大家。愛迭孫Edison美國發明家拿破崙Nap

去國集

四三

去國集　　　　四四

oleon。倍根 Bacon 英國哲學家主截天之說，又創歸納名學爲科學先導蕭士比 Shakespeare英國文學鉅子舊譯莎士比亞康可·Concord 地名去哈佛不遠，十九世紀中葉此邦文人所聚也愛謀生 Emerson霍桑 Hawthorne 索虜 Thoreau 以上三人美國文人亦哲學家墓皆在康可。『烟士披里純』Inspiration 直譯有『神來』之意梁任公以音譯之又爲文論之見飲冰室自由書。

相思

自我與子別，於今十日耳奈何
十日間兩夜夢及子。
前夜夢書來謂無再見時老母
日就衰未可遠別離。
昨夢君歸來歡喜臨江坐語我
故鄉事故人頗思我。
吾乃無情人未知愛何似古人
說「相思」無乃頗類此？

去國集

秋聲 有序

老子曰：『吾有三寶持而
寶之一曰慈二曰儉三日
不敢為天下先。』此三寶
者，吾於秋日疏林中盡見
之。落葉慈也損小已以全
宗幹可謂慈矣。松柏需水
供至微故能生水土澆薄
之所秋冬水絕亦不虞匱

四五

去國集

四六

乏。人但知其後彫，而莫知
後彫之由於能儉也。松柏
不與眾木爭肥壤而其處
天行獨最適則亦所謂「
夫唯不爭故天下莫能與
之爭」者也遂賦之。

積葉不見地楓榆但餘枝槎枒具
高致。大橡百年老敗葉剩三四諸
松傲秋霜未始有衰態舉世隨風
靡，何汝獨蒼翠？
虬枝忽自語語語生妙籟：
「天寒地脈枯萬木絕飲飼。
布根及一畝所得大微細本
幹保已難枝葉在當棄脫葉
以存本傷哉此高誼。

發清響眾葉作雨墜山蹊少人跡，
出門天地闊，悠然喜秋至。疏林

秋柳

但見蕭颸萬木摧，尚餘垂柳拂人
來。西風莫笑柔條弱，也向西風舞
一回。

此七年前（己酉）舊作
也。原序曰：

秋日適野，見萬木皆有
衰意，而柳以弱質際茲

吾儕松與柏，頗以儉自勵。取
諸天者廉，天亦不吾廢。故能
老巖石亦頗耐寒歲，全軀復
全葉不為秋憔悴。

謝諸松：「與爾勉斯志」

我聞諸松言低頭起幽思舉頭
五年一月續成去年舊
稿。

法國集

四七

去國集

高秋獨能迎風而舞，意態自如豈老氏所謂能以弱存者耶感而賦之。

年來頗歷世故亦稍稍讀書益知老氏柔弱勝剛強之說證以天行人事實具妙理近人爭言「優勝劣敗適者生存」彼所謂適，所謂優未必即在強暴武力。蓋物類處境不齊但有適不適，不在強不強也。兩年以來，兵禍之烈亘古未有。試問以如許武力其所成就究竟何在又如比利時以彈丸之地拒無敵之德意志豈徒無濟於事又大苦彼無罪之民雖螳臂當車淺人或慕其能怒而

四八

弱鼎擧石仁者必謂爲至
愚矣此豈獨大違老子齒
亡舌存之喻抑亦孔子所
謂「小不忍則亂大謀」
者歟以是之故兩年以來
余往往念及此詩有時亦
爲人誦之以爲庚戌以前
所作詩詞一一都宜刪棄，
獨此二十八字或不無可

去國集

存之價値備述爲故易數字，
附寫於此雖謂爲去國後
所作，可也。
五年七月。

沁園春　誓詩

更不傷春更不悲秋，以此誓詩。任
花開也好花飛也好月圓固好日
落何悲？我聞之曰「從天而頌孰
與制天而用之」更安用爲蒼天
歌哭作彼奴爲！　文章革命何疑！
且準備擎旗作健兒。要前空千古，
下開百世收他臭腐還我神奇。
大中華，造新文學，此業吾曹欲讓

誰？詩材料有簇新世界供我驅馳。

五年四月十二日。

此書著作權有
翻印必究

中華民國九年三月初版
中華民國九年九月再版

嘗試集

每冊定價洋三角
外埠酌加郵費

著者　　胡適

發行者　亞東圖書館　上海五馬路棋盤街西首

印刷者　亞東圖書館　上海五馬路棋盤街西首

分售者　各省各大書店